NUEVA EDICIÓN

# GENTE JOVEN 4

## CURSO DE ESPAÑOL PARA JÓVENES

Encina Alonso Arija

Matilde Martínez Sallés

Neus Sans Baulenas

**Autoras:** Encina Alonso Arija, Matilde Martínez Sallés, Neus Sans Baulenas

**Coordinación editorial y redacción:** Ainara Munt Ojanguren

**Revisión pedagógica:** Silvia López y Juan Francisco Urbán

**Diseño y maquetación:** Besada+Cukar

**Corrección:** Ana Escourido

**Ilustraciones:** Martín Tognola, excepto: Javier Andrada (págs. 12, 13, 23 y 58), David Carrero (pág. 34), Man (págs. 28, 54 y 55).

**Fotografías: Cubierta**: Gerard Kota 2014; **Unidad 1** pág. 10 Gerard Kota 2016; pág. 11 Gerard Kota 2016; pág. 19 Mixmike/iStock; pág. 20 Miami Dade College (cartel), Fundación Fco. García Lorca (retrato Lorca); pág. 21 retirodelmaestre.com (corral), Festival de Almagro; pág. 22 Pol Wagner; **Unidad 2** pág. 24 Jose Mesa/Flickr (no a la guerra), Dani Mora/elcomercio.es (antitaurina), irisel/garabatomental.wordpress.com (educación); pág. 25 Jose Mesa/Flickr (petroleras), chapaonline.es (chapa), cosecha del 84/Flickr (bienestar), Plataforma Sanidad Aragón (sanidad); pág. 27 monkeybusinessimages/iStock (en clase), Lisa F. Young/iStock (votando), Josef Friedhuber/iStock (osos); pág. 28 UNICEF/HQ98-0718/ Alejandro Balaguer (niños de blanco), UNICEF / HQ95-1115 / Giacomo Pirozzi (tres niños), UNICEF / HQ05-0316 / Josh Estey (niños jugando), pág. 30 Alkaria; Mano a mano Bolivia, Federación española de bancos de alimentos, Médicos Sin Fronteras, Asociación de Mujeres del Altiplano, Organización Nacional de Ciegos Españoles, Juanmonino/iStock (Daniela), Ann Marie Kurtz/iStock (Manuel), Difusión (Alicia), Wavebreakmedia/ iStock (Eduardo); pág. 31 Parlamento Europeo. Oficina de información en España; pág. 32 Quino para UNICEF, 1979; pág. 34 reportaje de Samuel Sánchez/El País Semanal; pág. 35 Jordi Parera/20minutos.es (Canteca de Macao), Álvarez Bravo/cervantes.es (Octavio Paz); pág. 36 Objetivos del Mileno de la ONU; **Unidad 3** pág. 38 Moneky Business Images/Dreamstime; pág. 41 alvarez/iStock; pág. 42 Jose Manuel Gelpi Diaz/ Dreamstime (niño), Pixel858/Dreamstime (piscina), Photodynamx/Dreamstime (perros), García Ortega (foto cv); pág. 43 García Ortega; pág. 44 Fundación Antonio Gala, Universidad de las Américas Puebla; pág. 45 Andres Rodriguez/Dreamstime; pág. 48 Internacional Microcuentista; pág. 50 Highwaystarz/Dreamstime (chica y señora), DRB Images, LLC/iStock (stop acoso); pág. 51 García Ortega; **Unidad 4** pág. 52 *Aladino y la lámpara maravillosa. Cuentitos con cine No. 17*/EDAR S. A., *Hansel y Gretel*/Larousse ediciones, *Blancanieves*/Editorial Fher; pág. 53 *El gato con botas*/ Editorial Olimpo, *Pulgarcito*/Ediciones Lebry, *El flautista de Hamelín*/Ameller editores, *La ratita presumida*/Divucsa Music, *Cenicienta*/Susaeta; pág. 55 John Everett Millais/WikimediaCommons; pág. 56 ?ing/imagexia.com; pág. 57 www.porque.es/por-que-brillan-las-luciernagas, www.d-maps. com; pág. 59 Kuryogo/WikimediaCommons (tejedor), majivecka/Dreamstime (niños), David Mathieu/Fotolia (cazador), www.curriculumenlineamineduc.cl (bruja, fantasma, lobo y dragón yadviga/Fotolia (príncipe), suslo/Fotolia (princesa), b_susann_k/Fotolia (muerte), chubuka/Fotolia (abuela); pág. 62 solarseven/iStock (eclipse), *Obras completas (y otros cuentos)*/Editorial Anagrama (libro); pág. 63 Meister der Weltenchronik - The Yorck Project: 10.000 Meisterwerke der Malerei. DVD-ROM, 2002. ISBN 3936122202. Distributed by DIRECTMEDIA Publishing GmbH (torre de babel), Historia tolteca-chichimeca/WikimediaCommons (cueva), *Espejos. Una historia casi universal*/S. XXI (libro); pág. 64 Yanlev/Fotolia; pág. 65 CurvaBezier/Fotolia; **Unidad 5** pág. 66 Aquaservice; pág. 67 www.encuentrogov.ar (Bernardo Kliksberg), www.vivesustentable.cl (huella hídrica); pág. 69 YouTube/WikimediaCommons (logo), Jonathan Juursema/CC-BY-SA-3-0 (impresora 3D); pág. 71 shutterstock (agua); pág. 72 Scott Bauer/ USDA/ARS/Wikicommons (patatas), Olli0815/Dreamstime (vendedora); pág. 76 Rodrigo Guerrero/WikiCommons (puente), MaxiV4/Flickr (canal); pág. 77 amazonia-andina.org (cacao), *Como agua para chocolate*/Suma de letras (libro), UNIA/Flickr (Laura Esquivel); pág. 78 García Ortega; pág. 79 Future of cities/borgenproject.org (imagen A), www.vamosadar.org.mx (imagen B), Mauricio Rinaldi (imagen C), diarioamanecer.com.mx (imagen D), unarbolcomorefugio.wordpress.com (imagen E), LifeStraw® (imagen F); **Unidad 6** pág. 80 NASA Johnson Space Center (NASA-JSC); pág. 81 anapeps/Flickr (mar), ©Emoji Apps LLC/Courtesy Tayfun Karadeniz, www.ispazio.net (fondo pantalla móvil), tpx/Fotolia (móvil); pág. 82 Andy Warhol/zastavki.com (manos), Sergei Nivens/Fotolia (libro); pág. 87 hypervoila (twit), AcciónPoéticaMedellín (señal), www.rortiz.net (imanes), Francisco Vila Guillén/valleplastica.blogspot.com.es (palabras), Beatriz Parrado/valleplastica.blogspot.com.es (desprendimiento), Chema Madoz/ cienciaonline.com (termómetro); pág. 90 https://musaquontas.wordpress.com (Ajo), Boamistura/digerible.com (paso de cebra), Ester Partegàs/ Cortesía de Galería Helga de Alvear, Madrid); pág. 91 Grupo Escombros (mural y lágrimas), Grupo Escombros y Lidia Burry (escultura); pág. 92 ©Salvador Dalí, Fundació Gala-Salvador Dalí, VEGAP, 2007 (S. Dalí); pág. 93 ©Pablo Picasso/Wikiart.org; **El español mes a mes** pág. 116 Enric Font (enero), Balaguer Alejandro/CORBIS SYGMA/COVER (febrero), Conselleria de Turisme de la Comunitat Valenciana (marzo); pág. 117 García Ortega (abril), AFP (mayo), Keren Su/CORBIS/COVER (junio); pág. 118 Servicio de Promoción e Imagen Turística del Gobierno de Navarra (julio), AFP (agosto), Carol Gale (septiembre); pág. 119 Digishooter/Fotolia (octubre), NOTIMEX/AFP (noviembre), María Manzanera (diciembre).

*Todas las fotografías de Flickr.com y Wikimedia Commons están sujetas a licencias de Creative Commons (Reconocimiento 2.0, 3.0 y 4.0).*

**Textos:** págs. 28 y 29 UNICEF; pág. 34 *El País Semanal*; pág. 35 *20minutos*; pág. 37 UNESCO; pág. 44, UDLAP y Fundación Antonio Gala Para Jóvenes Creadores; pág. 67 B. Kliksberg/www.encuentro.gov.ar; pág. 72 Departamento de Agricultura de los Estados Unidos. Base de datos nacional de nutrientes / Odepa con información de Faostat 2011 / Instituto Escocés de Investigación en Cultivos / Ministerio de Agricultura 2011 / Faostat.

**Locuciones:** Agnès Berja, Yaiza Blanco, Joshua Cortés, Ofelia Díaz-Bethencourt, Adrián Font, Daniel García, Pablo Garrido, Patricia Gruber, Virginie Karniewicz, Raquel López, Albert Martín, Xavier Miralles, Ainara Munt, Jorge Peña, Berenice Puntillo, Santiago Puntillo, Natalia Rodríguez, Marc Rúa, Núria Sánchez, Eduard Sancho y Laia Sant. **Técnico de sonido:** Blind Records.

**Canciones: Unidad 6** Danay Suárez, ℗2014 Universal Music Latino.

**Agradecimientos:** AcciónPoéticaMedellin, Ajo, Alicia y Emilio, Alkaria, AMA, Aurelia L. Almodóvar, Nieves Álvarez, Beatriz Amieva, Banco de alimentos, Manu Belver, Boamistura, *El País Semanal*, Festival Internacional de Teatro Clásico de Almagro, Fundación Antonio Gala, Alejandro Galán y Francisco Gallego (Junta de Castilla y León), Alicia González y Adriana González, Olatz González y Save the Children, Historias de Luz, B. Kliksberg, Catherine López, Leire (Keinu Producciones), Chema Madoz, Mano a Mano Bolivia, MSF, ONCE, María Dolores Oteiza, Beatriz Parrado, Ester Partegàs, Paula y Pelota de Trapo, Fernando Rendón, Núria Ribalta, Ana Belén Del Rio, María José Rivas (Ministerio de Sanidad y Consumo), Carles Torres, UDLAP, UNICEF (Elena Crego, Helena Reina, Amalia Navarro y Rocío Gisbert), 20minutos, Francisco Villa Guillén, Pol Wagner, María Laura Zoya y Grupo Escombros.

**IES Palau Ausit de Ripollet** (y a sus alumnos: Yaheydy Aranza, Eduardo Benítex, Michael Borrero, Carlos Correa, Cristian Cumplido, Binta Diallo, Elena Galera, Iván Genicio, Nabil Gouaamar, Iris Guiner, Adrián Hernández, Fran Herrozo, Beatriz Jiménez, Miriam López, Montserrat, Eduardo Molina, Manuel Mora, Marc Moratona, Zakaria El Mouss, Leidy Murillo, Sara Navarrete, Alba Pampín, Marta Pi, Sheila Pico, Álex Portillo, Berenice Puntillo, Iván Requena, Marta Sáez, Teatro en el aire, Alberto Torralba, Carlos Torrejón, Elena Villanueva y Lorena Varo).

© Las autoras y Difusión S.L. Barcelona 2016
ISBN: 978-84-16057-21-4
Reimpresión: octubre 2016
Impreso en España por Novoprint

**difusión**
Centro de
Investigación y
Publicaciones
de Idiomas, S. L.

C/ Trafalgar, 10, entlo. 1ª
08010 Barcelona
Tel. (+34) 93 268 03 00
Fax (+34) 93 310 33 40
editorial@difusion.com

www.difusion.com

*Gente joven Nueva edición* está diseñado siguiendo el enfoque por tareas. ¿Qué quiere decir esto? Pues que creemos que las lenguas se aprenden sobre todo haciendo cosas interesantes y divertidas con ellas. Se aprende a hablar hablando y a escribir, escribiendo, igual que se aprende a bailar o a jugar al fútbol practicando.

Cada unidad empieza con una portadilla en la que se explica qué **proyecto** vas a hacer, qué **competencias** vas a desarrollar y qué **estructuras lingüísticas** vas a necesitar.

A partir de una serie de **imágenes** y de **ejemplos de lengua en contexto** vas a entrar en contacto con el tema de la unidad.

En las páginas siguientes, encontrarás una serie de **actividades**. Leyendo y escuchando los textos, jugando, haciendo teatro, escribiendo solo o en grupo, etc. vas a descubrir cómo funciona el español y vas a practicarlo en situaciones de comunicación auténtica con tu profesor y tus compañeros.

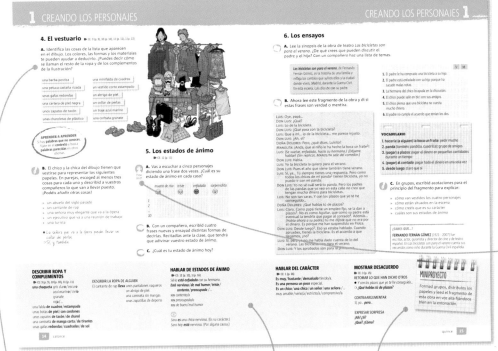

Este icono indica el número de pista del **CD audio** que tienes que escuchar para hacer la actividad.

En las actividades y los ejercicios encontrarás **ejemplos** como este para saber lo que tú y tus compañeros tenéis que decir o escribir.

En las páginas de actividades encontrarás **ayudas léxicas y gramaticales** y modelos para poder imitar y usar.

Al terminar una doble página de actividades podrás poner en práctica todo lo que has aprendido con un **miniproyecto**. Para lograr el objetivo propuesto, necesitarás cooperar con tus compañeros y poner en juego varias competencias en lengua española.

En la sección de *Palabras y reglas* podrás estudiar y seguir practicando las reglas y el vocabulario que necesitas mediante ejercicios centrados en un único tema lingüístico.

También dispondrás de **presentaciones muy visuales de aspectos léxicos** importantes en la unidad que te ayudarán a memorizar y a practicar el nuevo vocabulario.

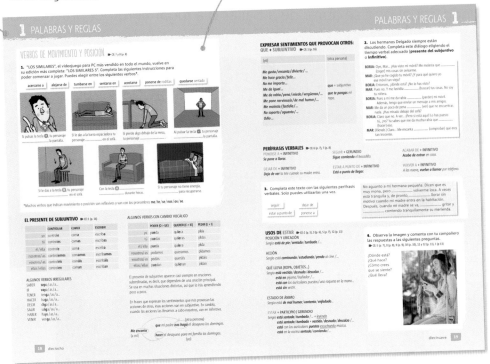

En *La Revista* hemos incluido textos relacionados con los temas de la unidad. De esta forma, a tu ritmo, puedes aprender más sobre la cultura hispana y sobre los países en los que se habla español.

Y conocerás **autores importantes** y algunas **curiosidades** del mundo hispanohablante.

También podrás aprender **poemas**, cantar **canciones** y saber de qué va el **vídeo** de la unidad.

En la página de **Nuestro proyecto** encontrarás el proyecto de la unidad. Para realizarlo vas a necesitar poner en juego varias competencias y usar lo que has aprendido en las páginas anteriores.

Puedes hacer y presentar los proyectos usando las nuevas tecnologías (filmando, grabando, con ordenador y con el proyector de la clase...). O si lo prefieres, también los puedes hacer con rotuladores, cartulinas, disfraces... y siempre tendrás que hablar con tus compañeros para llevarlos a cabo y para presentarlos a la clase.

Al terminar la unidad, el profesor podrá **evaluar** si eres capaz de poner en práctica todo lo que has aprendido. Para ello deberás usar las cinco competencias básicas: la **comprensión lectora**, la **comprensión oral**, la **expresión escrita**, la **expresión oral** y la **interacción oral**.

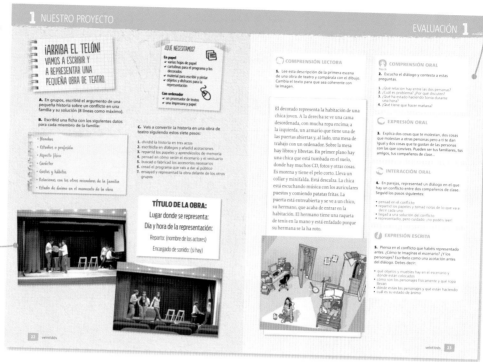

En el resumen de **Gramática y comunicación** podrás consultar tus dudas y también encontrarás más ejemplos de todos los recursos que necesitas para comunicarte en español.

En **El español mes a mes**, al final del libro, encontrarás información sobre algunas fiestas que se celebran en diferentes países hispanos.

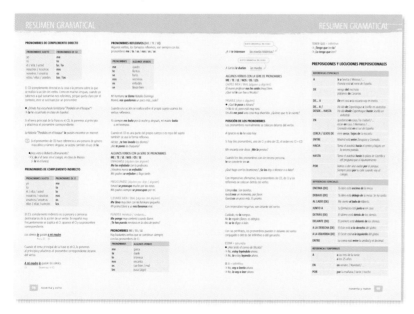

Y además, **gentejoven.difusion.com** te ofrece actividades interactivas de léxico y de gramática, ejercicios para trabajar con los audios y los vídeos y muchos otros materiales que te van a ayudar a seguir aprendiendo.

## http://gentejoven.difusion.com

# ÍNDICE

| | PROYECTOS | COMPETENCIAS COMUNICATIVAS | ESTRATEGIAS | |
|---|---|---|---|---|
| **unidad 1**<br>**¿QUIÉN TIENE RAZÓN?**<br> | • Vamos a escribir una obra de teatro sobre un conflicto familiar y vamos a representarla en clase. | • Discutir y mostrar desacuerdo.<br>• Expresar enfado.<br>• Describir imágenes.<br>• Hablar de estados de ánimo.<br>• Justificarse y argumentar.<br>• Expresar sentimientos que provocan otros. | • Fijarnos en las estrategias propias del teatro para mejorar nuestra expresión oral: el lenguaje no verbal, hablar con una entonación y una pronunciación adecuadas a cada situación de comunicación. | |
| **unidad 2**<br>**NUESTRO MUNDO**<br> | • Vamos a redactar un pequeño discurso para leerlo ante las Naciones Unidas. | • Hablar de derechos.<br>• Expresar y debatir puntos de vista.<br>• Expresar intereses.<br>• Hablar sobre datos.<br>• Exponer un problema y sus causas.<br>• Proponer soluciones.<br>• Valorar situaciones. | • Leer y escuchar noticias.<br>• Leer e interpretar datos estadísticos.<br>• Repasar los textos escritos después de escribirlos, anotar y clasificar los errores que cometemos para ser conscientes de ellos y aclarar lo que no entendemos. | |
| **unidad 3**<br>**SE BUSCAN CANDIDATOS**<br> | • Vamos a redactar una oferta de trabajo y a seleccionar candidatos para un proyecto social. | • Leer y entender convocatorias de programas de beca o voluntariado.<br>• Hacer entrevistas.<br>• Leer y escribir cartas de motivación.<br>• Leer y escribir ofertas de trabajo.<br>• Definir los requisitos para un puesto de trabajo o de voluntariado.<br>• Comprender y hacer recomendaciones para una entrevista. | • Adaptar nuestro discurso oral y nuestra comunicación no verbal en ocasiones formales de búsqueda de empleo. | |

| GRAMÁTICA | LÉXICO | CULTURA Y CIVILIZACIÓN | AUDIOVISUAL |
|---|---|---|---|
| • Repasar la combinación de los tiempos del pasado.<br>• Aprender las correspondencias de los tiempos al cambiar de estilo directo a indirecto.<br>• El pretérito imperfecto de subjuntivo para expresar órdenes, peticiones y deseos de otros: *ordenó que se les diera, le pidió que fuera...*<br>• El pretérito pluscuamperfecto: imperfecto de **haber** + participio.<br>• Verbos habituales para transmitir información: **decir, pedir, contestar...** | • Léxico propio de los cuentos populares.<br>• Fórmulas de los cuentos: **había una vez, érase una vez...** | • Augusto Monterroso, escritor centroamericano.<br>• Eduardo Galeano, periodista y escritor uruguayo. | • *La leyenda de Huitzilopochtli*<br><br>Leyenda animada de Huitzilopochtli, la principal deidad de los mexicas o aztecas. |
| • Conectores discursivos del texto expositivo: **por este motivo, sin embargo, por otro lado...**<br>• Frases relativas explicativas: *El agua, **que ocupa tres cuartas partes del planeta,** es vital.*<br>• Los demostrativos con valor anafórico.<br>• El prefijo de negación **in-/im-/i-**.<br>• Verbos en expresiones impersonales: **se cultiva, se consume...** | • Léxico propio de textos informativos: **porcentaje, podemos observar, dos terceras partes...**<br>• Léxico de la tecnología y los recursos naturales.<br>• Léxico sobre productos agrícolas. | • El Canal de Panamá.<br>• Laura Esquivel y *Como agua para chocolate*. | • *Entrevista a Enrique Veiga*<br><br>Entrevista a Enrique Veiga, inventor de una máquina para fabricar agua potable en el desierto. |
| • Algunos recursos poéticos (la **repetición**, la **rima**, la **comparación** y la **metáfora**).<br>• Las reglas de acentuación.<br>• La tilde diacrítica y los diptongos.<br>• Recursos para evocar sensaciones y recuerdos.<br>• Algunas reglas de puntuación. | • Léxico para hablar de emociones.<br>• Léxico para describir la naturaleza y a las personas. | • Algunas figuras retóricas.<br>• Algunos movimientos literarios de las culturas de habla hispana.<br>• Poesía visual.<br>• La micropoesía de Ajo.<br>• Poesía urbana y el grupo de artistas argentinos Escombros. | • *Yo aprendí*<br><br>Canción de la rapera cubana Danay Suárez. |

• Resumen gramatical • Recursos para la comunicación • Tablas verbales

• Distintas festividades de la cultura hispana

unidad

# 1

# ¿QUIÉN TIENE RAZÓN?

NUESTRO PROYECTO: VAMOS A ESCRIBIR UNA PEQUEÑA OBRA DE TEATRO SOBRE UN CONFLICTO FAMILIAR Y A REPRESENTARLA.

## VAMOS A...

identificar y a describir imágenes;

describir la ropa, el carácter y el estado de ánimo de las personas;

practicar varias entonaciones; a expresar enfado, reaccionar ante las opiniones de otros y justificarnos; a expresar sentimientos;

crear diálogos para una obra teatral y a representarlos;

leer extractos y descripciones de escenas de obras de teatro;

ver un reportaje sobre la compañía teatral Teatro en el aire.

## VAMOS A APRENDER...

- el presente de subjuntivo;
- varios usos de **estar**;
- algunas perífrasis verbales: **ponerse a**, **dejar de**, **estar a punto de**, **acabar de**, **volver a** + infinitivo, **estar**, **seguir** + gerundio;
- verbos de movimiento y posición;
- formas de expresar el modo (**riendo**, **silenciosamente**...);
- adjetivos de carácter.

## Un domingo en casa

¿A cuál de las dos fotos corresponden
estas frases?

☐ Mar está tumbada en el sofá.
☐ Borja lleva un pijama.
☐ Mar se ha quitado las zapatillas.
☐ Mar está de pie.
☐ Borja se ha sentado.
☐ Los dos hermanos están de pie gritando.
☐ Los dos hermanos siguen hablando.
☐ Borja se ha cambiado y se ha puesto
la ropa de deporte.
☐ El padre ha dejado de pasar el aspirador.
☐ El padre está a punto de enchufar
el aspirador.

## 1. ¿Qué sabes de teatro? ▶ CE: 2 (p. 5), 1 (p. 14), 2 (p. 15)

**A.** En esta unidad vamos a hablar de teatro, y para ello vamos a necesitar algunas palabras básicas. Completa las definiciones que están a medias.

**UN ACTO** es cada una de las partes en las que se divide una obra de teatro. Muchas veces hay tres. En cada acto pueden cambiar los objetos y la iluminación del escenario.

**UNA ESCENA** es cada una de las partes en las que se divide...

**EL DIRECTOR** es la persona que decide...

**LOS ACTORES** son las personas que...

**EL ESCENARIO** es el lugar donde...

**LAS ACOTACIONES** son las notas que aparecen entre paréntesis en la obra escrita. Sirven para indicar la actitud de los personajes y otros detalles.

**EL VESTUARIO** es la ropa...

Pistas 01-02

**B.** Escucha esta conversación entre un director y unos actores sobre cómo colocar algunos objetos en el escenario e identifica el dibujo correspondiente a lo que finalmente deciden hacer.

## 2. Las escenas ▶ CE: 1 (p. 5), 6 (p. 7), 8 (p. 8)

**A.** Lee esta descripción de una escena. Compárala con el dibujo y corrige los errores que hay en el texto.

Son las nueve de la noche. La familia Delgado está en el comedor. El padre, la madre y el hijo (Borja) están de pie junto a la mesa. En el centro hay una estantería con varios objetos decorativos. A la derecha se ve una ventana. Detrás de Borja se ve la puerta que da a la cocina.

---

**MOVIMIENTO Y POSICIÓN**
▶ CE: 2 (p. 5)
VERBOS
**acercarse a / alejarse de**
**tumbarse**
**sentarse**
**levantarse** (**de** la mesa)
**ponerse de** pie / rodillas
**quedarse** sentado / de pie / en la puerta...

REFERENCIAS ESPACIALES
**detrás (de) / delante (de)**
*La planta está **detrás del** sofá.*

**a la derecha (de) / a la izquierda (de)**
*A la derecha se ve una ventana.*

**debajo (de) / encima (de)**
*Pon los auriculares **encima de** la mesa.*

**al lado (de) / en el centro (de)**
*En el centro hay una estantería.*

**USOS DE ESTAR** ▶ CE: 3 (p. 6), 5 (p. 7)
*Sergio **está de pie / sentado / tumbado /**...*

*Sergio **está con** los auriculares puestos.*
        *está vestido / desnudo / descalzo /*...
        *está en pijama / bañador /*...

*Sergio está **de mal humor / contento /**...*

ESTAR + GERUNDIO
*Sergio **está yendo** al cine.*

**B.** Lee la continuación de la escena y contesta a estas preguntas:

1. ¿Cuáles son los dos problemas que tienen lugar en la familia?
2. ¿Cómo reaccionan los hijos ante sus problemas? ¿Y los padres?
3. ¿Estás de acuerdo con la actuación de cada uno?

> La familia está discutiendo porque Borja quiere un móvil nuevo, pero ha suspendido varios exámenes y lo han castigado. Borja está muy enfadado. Mar, su hermana, entra con cara de haber llorado y se sienta a cenar. La madre se levanta y se le acerca para consolarla, pero Mar se pone a llorar otra vez. El padre deja de comer. Borja se va silenciosamente y Mar se levanta y sale corriendo. La madre se vuelve a sentar y le explica al padre que las compañeras del nuevo colegio de Mar se ríen de ella.

 **C.** Este dibujo representa la escena siguiente. Con un compañero, describid el escenario y qué ocurre en la escena. ¿Crees que han solucionado alguno de los problemas?

*La familia ha terminado de cenar y...*

## 3. Las acotaciones ▶ CE: 1 (p. 5)

 **A.** Ahora lee este fragmento de la obra de teatro. Fíjate en las palabras que sirven para expresar el modo (marcadas en negrita) y clasifícalas en el cuadro de abajo.

*(Borja entra **silenciosamente** en la cocina.)*

Madre: ¿Por qué llegas tan tarde? *(La madre está de pie, al lado de la puerta, con el pijama puesto.)*

Borja: Porque he perdido el autobús. *(El chico se queda en la puerta **sin moverse**.)*

Madre: ¿Y no sabes llamar con el móvil?

Borja: Sí, pero es que primero no tenía cobertura y después se me ha acabado la batería. *(**Sacando** el móvil del bolsillo.)* ¡Necesito un móvil nuevo!

Madre: ¡Ya hemos hablado del móvil mil veces! ¿Y ninguno de tus amigos tenía un móvil? *(**Entrando** en la sala **lentamente**.)*

Borja: Es que estaba solo... *(**Mirando** al suelo.)*

Madre: ¿Cómo que solo? *(Cada vez está más enfadada.)*

Borja: Sí, porque Carlos se ha ido a dormir a casa de Juan y Gonzalo...

Madre: Mira, no quiero seguir discutiendo contigo. Es muy tarde y estoy cansada. Me voy a la cama y mañana hablamos, pero de ir al partido de baloncesto, ni hablar. *(Saliendo de la cocina **rápidamente** y **sin mirar** a su hijo.)*

Borja: Pero mamá... *(**Mirando** hacia la puerta.)*

| gerundio | |
| --- | --- |
| **sin** + infinitivo | |
| adverbio | silenciosamente |

 **B.** Representad el diálogo siguiendo las indicaciones que se dan en las acotaciones.

---

**PERÍFRASIS VERBALES**

▶ CE: 6 (p. 7), 7 (p. 8)

*Se pone a llorar.*
*Deja de ver la tele cuando su madre entra.*
*Sigue leyendo.*
*Está a punto de llegar.*
*Acaba de entrar en casa.*
*A las nueve, **vuelve a llamar** por teléfono.*

**EXPRESAR EL MODO** ▶ CE: 4 (p. 6)

ADVERBIOS
*Entra **silenciosamente**/**despacio**/...*

GERUNDIO
*Entra **llorando** y **gritando**.*

SIN + INFINITIVO
*Entra **sin hacer** ruido.*

CON
*Entra **con** prisas/cara de/...*

**MINIPROYECTO**

En grupos, cambiad las acotaciones del ejercicio **3A** y representad el diálogo de nuevo. Vuestros compañeros deberán adivinar los cambios.

## 4. El vestuario ▶ CE: 9 (p. 9), 10 (p. 10), 11 (p. 11), 1 (p. 13)

**A.** Identifica las cosas de la lista que aparecen en el dibujo. Los colores, las formas y los materiales te pueden ayudar a deducirlo. ¿Puedes decir cómo se llaman el resto de la ropa y de los complementos de la ilustración?

| | |
|---|---|
| una barba postiza | una minifalda de cuadros |
| una peluca castaña rizada | un vestido corto estampado |
| unas gafas redondas | un abrigo de piel |
| una cartera de piel negra | un collar de perlas |
| unos zapatos de tacón | un traje azul marino |
| unas chancletas de plástico | una corbata granate |

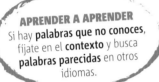

**APRENDER A APRENDER**
Si hay **palabras que no conoces**, fíjate en el **contexto** y busca **palabras parecidas** en otros idiomas.

**B.** El chico y la chica del dibujo tienen que vestirse para representar los siguientes papeles. En parejas, escoged al menos tres cosas para cada uno y describid a vuestros compañeros lo que van a llevar puesto. ¡Podéis añadir otras cosas!

▶ un abuelo del siglo pasado
▶ un cantante de rap
▶ una señora muy elegante que va a la ópera
▶ un ejecutivo que va a una reunión de trabajo
▶ una turista

● La señora que va a la ópera puede llevar un collar de perlas.
○ Sí, y también...

## 5. Los estados de ánimo
▶ CE: 12 (p. 11)

**A.** Vas a escuchar a cinco personajes diciendo una frase dos veces. ¿Cuál es su estado de ánimo en cada caso?

Pistas 03-07

| | muerto de risa 😂 | triste 😔 | enfadado 😠 | sorprendido 😮 |
|---|---|---|---|---|
| 1 | | | | |
| 2 | | | | |
| ... | | | | |
| 10 | | | | |

**B.** Con un compañero, escribid cuatro frases nuevas y ensayad distintas formas de decirlas. Recitadlas ante la clase, que tendrá que adivinar vuestro estado de ánimo.

**C.** ¿Cuál es tu estado de ánimo hoy?

---

### DESCRIBIR ROPA Y COMPLEMENTOS
▶ CE: 9 (p. 9), 10 (p. 10), 11 (p. 11)
**una chaqueta** gris clar**o**/oscur**o**
          azul marin**o**/ciel**o**
          granate
          roj**a**/...
una falda **de cuadros**/**estampada**
unas botas **de piel**/**con cordones**
unos zapatos **de tacón**/**de charol**
una camiseta **de manga corta**/**de tirantes**
unas gafas **redondas**/**cuadradas**/**de sol**

### DESCRIBIR LA ROPA DE ALGUIEN
El cantante de rap **lleva** unos pantalones vaqueros
          un abrigo de piel
          una camiseta sin mangas
          unas zapatillas de deporte

### HABLAR DE ESTADOS DE ÁNIMO
▶ CE: 12 (p. 11), 1 (p. 16)
Silvia **está enfadada** con su hermano.
**Está nerviosa**/**de mal humor**/**triste**/
          **contenta**/**preocupada**/...
~~soy~~ contento/a
~~soy~~ preocupado/a
~~soy~~ de buen/mal humor

Sara **es** una chica nerviosa. (Es su carácter.)
Sara hoy **está** nerviosa. (Por alguna causa.)

## 6. Los ensayos

**A.** Lee la sinopsis de la obra de teatro *Las bicicletas son para el verano*. ¿De qué crees que pueden discutir el padre y el hijo? Con un compañero haz una lista de temas.

> *Las bicicletas son para el verano*, de Fernando Fernán Gómez, es la historia de una familia y refleja los cambios que sufren ellos y la ciudad donde viven, Madrid, durante la Guerra Civil. En esta escena, Luis discute con su padre.

**B.** Ahora lee este fragmento de la obra y di si estas frases son verdad o mentira.

LUIS: Oye, papá...
DON LUIS: ¿Qué?
LUIS: Lo de la bicicleta.
DON LUIS: ¿Qué pasa con la bicicleta?
LUIS: Que a mí... lo de la bicicleta... me parece injusto.
DON LUIS: ¿Ah, sí?
DOÑA DOLORES: Pero, ¿qué dices, Luisito?
MANOLITA: ¡Anda, que al niño le ha hecho la boca un fraile[1]!
LUIS: *(Se vuelve, enfadado, hacia su hermana.)* ¡Déjame hablar! *(Sin replicar, MANOLITA sale del comedor.)*
DON LUIS: Habla.
LUIS: Yo la bicicleta la quiero para el verano.
DON LUIS: Pues el año que viene también tiene verano.
LUIS: Sí, ya... Tú siempre tienes una respuesta. Pero como todos los chicos de mi panda[2] tienen bicicleta, yo no puedo ir con mi panda.
DON LUIS: Yo no sé cuál será tu panda. Pero los padres de las pandas que yo veo en esta calle no creo que tengan mucho dinero para bicicletas.
LUIS: No son tan caras. Y con los plazos que yo te he conseguido...
DOÑA DOLORES: ¿Qué hablas tú de plazos?
LUIS: Claro. Como papá tiene un empleo fijo, se la dan a plazos[3]. No es como Aguilar, que como su padre está eventual la tendría que pagar al contado[4]. Además... *(Habla ahora a su padre.)* tú me dijiste que no era por el dinero. Es porque me han suspendido en Física.
DON LUIS: Desde luego[5]. Eso ya estaba hablado. Cuando apruebes, tienes la bicicleta. Es el acuerdo a que llegamos, ¿no?
LUIS: Sí, pero yo no me había dado cuenta de lo del verano. Las bicicletas son para el verano.
DON LUIS: Y los aprobados son para la primavera.

|  | V | M |
|---|---|---|

**1.** El padre le ha comprado una bicicleta a su hijo.

**2.** El padre está enfadado con su hijo porque ha sacado malas notas.

**3.** La hermana del chico lo ayuda en la discusión.

**4.** El chico puede salir en bici con sus amigos.

**5.** El chico piensa que una bicicleta no cuesta mucho dinero.

**6.** El padre no cumple el acuerdo que tenían los dos.

---

**VOCABULARIO**

**1. hacerle (a alguien) la boca un fraile**: pedir mucho

**2. panda** (también: pandilla, cuadrilla): grupo de amigos

**3. (pagar) a plazos**: pagar el dinero en pequeñas cantidades durante un tiempo

**4. (pagar) al contado**: pagar todo el dinero en una sola vez

**5. desde luego**: claro que sí

---

 **C.** En grupos, escribid acotaciones para el principio del fragmento para explicar:

▶ cómo van vestidos los cuatro personajes
▶ cómo están situados en la escena
▶ cómo creéis que es su carácter
▶ cuáles son sus estados de ánimo

---

**¿SABES QUE...?**

**FERNANDO FERNÁN GÓMEZ** (1921 - 2007) fue escritor, actor, guionista y director de cine y de teatro español. En *Las bicicletas son para el verano* cuenta sus recuerdos como niño durante la Guerra Civil española.

---

## HABLAR DEL CARÁCTER

▶ CE: 1 (p. 16)
**Es muy/bastante/demasiado** tímido/a.
**Es una persona un poco** especial.
**Es un chico/una chica/un señor/una señora/...** muy amable/serio/a/estricto/a/comprensivo/a.

## MOSTRAR DESACUERDO

▶ CE: 3 (p. 15)
**RETOMAR LO QUE HAN DICHO OTROS**
● *Y con los plazos que yo te he conseguido...*
○ **¿Qué hablas tú de plazos?**

**CONTRAARGUMENTAR**
*Sí, ya...* **pero**...

**EXPRESAR SORPRESA**
*¡Ah! ¿Sí?*
*¿Qué? ¿Cómo?*

**MINIPROYECTO**

Formad grupos, distribuíos los papeles y leed el fragmento de esta obra en voz alta fijándoos bien en la entonación.

## 7. Los diálogos y los conflictos ▶ CE: 13 (p. 12), 3 (p. 15), 1 (p. 16)

**A.** Vas a escuchar tres discusiones de familia. Completa una tabla como esta.

Pistas 08-10

|   | ¿Quiénes discuten? | ¿Sobre qué tema discuten? | ¿Cuál es el problema? |
|---|---|---|---|
| 1 |  |  |  |
| 2 |  |  |  |
| 3 |  |  |  |

**B.** Ahora lee las transcripciones. ¿Quién crees que tiene razón en cada caso? Coméntalo con un compañero y explicad por qué.

**❶**

**Borja:** Dame el mando ahora mismo.
**Mar:** No me da la gana, estoy viendo la tele. No aguanto que seas tan egoísta.
**Borja:** Pues yo no soporto que siempre decidas tú qué canal vemos, porque la televisión no es tuya.
**Mar:** Oye, estoy viendo una película, ¿vale?
**Borja:** Sí, pero siempre vemos lo que tú quieres. Ya está bien, ¿no? Además, van a venir mis amigos y queremos ver una serie.
**Mar:** Ahora resulta que tus amigos deciden lo que vemos en la tele. ¿Por qué no vais a tu habitación?
**Borja:** Porque somos tres y la habitación es pequeña. Es increíble que seas tan egoísta.
**Mar:** Eres imposible, chaval. Toma el mando...

**❷**

**Luisa:** Pedro, ¿quieres bajar de una vez? No entiendo cómo siempre tardas tanto en prepararte.
**Pedro:** Ya voy, ya voy. ¡Si tenemos tiempo de sobra!
**Luisa:** ¿Cómo que tenemos tiempo de sobra? Son las siete y la película empieza a las ocho. Odio ir siempre con prisas.
**Pedro:** ¿Falta una hora? Pues mira, nos sobran 25 minutos.
**Luisa:** ¿25 minutos? Pero ¡qué dices! Me encanta que seas tan optimista. ¿Tú sabes el tráfico que hay? Y además, me pone nerviosa que no tengamos las entradas compradas. Como se te ha olvidado...
**Pedro:** ¿A mí? La primera noticia que tengo. Ahora resulta que yo tenía que comprar las entradas.
**Luisa:** Pero si te lo dije ayer, Pedro...

**❸**

**Padre:** No vas y se acabó.
**Borja:** ¿Pero, por qué?
**Padre:** ¿Cómo que por qué? Traes tres suspensos a casa ¿y todavía preguntas que por qué? Es increíble que no te des cuenta tú mismo.
**Borja:** Pero papá... déjame al menos ir un rato... ¿Por qué no puedo?
**Padre:** Pues porque estás castigado.
**Borja:** Por favor... es que he estado todo el día estudiando, necesito salir un poco...
**Padre:** Haber pensado en eso antes de los exámenes. De verdad, hijo, me da mucha rabia que seas tan irresponsable. No es NO. No vas a salir, y punto.
**Borja:** Pero si yo hice todo lo que pude, lo que pasa es que los profes me tienen manía...
**Padre:** Sí, será eso. Venga, hijo, vete a tu habitación que no estoy para cuentos.

**EXPRESAR ENFADO** ▶ CE: 13 (p. 12)

*No vas,* **¡y se acabó!/¡y punto!**
*Vete a tu habitación,* **que no estoy para cuentos.**
**Pero ¿qué dices?**
**Ahora resulta que** *yo tenía que comprar...*
**¡Pero si te lo dije ayer!**
**Eres imposible.**
**¡No es no!**

● *Termina la verdura* **de una vez.**
○ **¡No me da la gana!**

*Arco, ¡ven aquí* **ahora mismo***!*

*¿**Cómo que** se te ha roto sin querer?*

**C.** En estos diálogos aparece un nuevo tiempo verbal: el presente de subjuntivo. Busca los verbos en este tiempo y copia las frases donde aparecen. Subraya la expresión que los acompaña, como en el ejemplo.

*No aguanto que seas tan egoísta.*

**D.** Escucha las siguientes frases y marca en cuál de ellas la persona que habla está enfadada. Luego, busca las expresiones de enfado en las frases que has marcado.

Pistas 11-15

1.  **A.** ¡Dame el mando ahora mismo!
    **B.** ¿Me das el mando?

2.  **A.** ¿Quieres bajar de una vez?
    **B.** Tienes que bajar ya, es tarde.

3.  **A.** ¿25 minutos? Pero ¡qué dices!
    **B.** ¿25 minutos? ¿Seguro?

4.  **A.** No entiendo que me preguntes por qué.
    **B.** ¿Cómo que por qué?

5.  **A.** No vas a salir, y punto.
    **B.** No vas a salir.

**APRENDER A APRENDER**
Intenta descubrir por ti mismo **cómo funcionan las nuevas estructuras** que encuentres en los textos. Eso te ayudará a ser más **autónomo** y a **aprender más** fuera de clase.

## 8. La convivencia ▶ CE: 1 (p. 16)

**A.** A continuación tienes una lista de situaciones cotidianas típicas en familia. Escribe frases explicando si te molestan o no utilizando las expresiones de abajo.

- ▶ Coger mi ropa sin pedir permiso.
- ▶ Estar mucho tiempo en el cuarto de baño.
- ▶ Cambiar el canal de televisión.
- ▶ Entrar en mi habitación sin llamar a la puerta.
- ▶ Llamar a nuestros padres en mitad de una riña.
- ▶ Controlar lo que hago fuera de casa.
- ▶ Tener permiso para llegar a casa más tarde que yo.
- ▶ Despertarme cuando quiero dormir más.

me molesta que...   me fastidia que...

no aguanto que...   me da igual que...

me da rabia que...   no me importa que...

me pone nervioso/a que...

mi padre   mi madre   mi hermano/a   mis padres

*Me da igual que mi hermana me coja la ropa sin pedir permiso.*

**B.** Compara tus frases con las de un compañero. ¿Estáis de acuerdo?

## JUSTIFICAR/SE
- *Mañana tienes que ir a casa de la abuela.*
- *Pero **es que** he quedado con Lena...*
- *Pues lo siento, pero tienes que ir.*
- ***Lo que pasa es que** su madre me espera para comer, ya sabe que voy.*

## EXPRESAR SENTIMIENTOS QUE PROVOCAN OTROS ▶ CE: 1 (p. 16)

| (yo) | (otra persona) |
|---|---|
| *Me molesta (mucho)/fastidia* <br> *No soporto/aguanto* <br> *Me da igual/(mucha) rabia* <br> *Me pone (muy) nerviosa* <br> *Me gusta/encanta/hace gracia* <br> *No me importa* | *que* + subjuntivo <br> *que se ponga mi ropa.* |

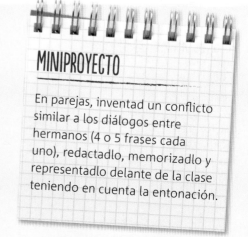

**MINIPROYECTO**

En parejas, inventad un conflicto similar a los diálogos entre hermanos (4 o 5 frases cada uno), redactadlo, memorizadlo y representadlo delante de la clase teniendo en cuenta la entonación.

## VERBOS DE MOVIMIENTO Y POSICIÓN ▶ CE: 7 y 8 (p. 8)

**1.** "LOS SIMILARES", el videojuego para PC más vendido en todo el mundo, vuelve en su edición más completa: "LOS SIMILARES 5". Completa las siguientes instrucciones para poder comenzar a jugar. Puedes elegir entre los siguientes verbos*.

| **acercarse a** | **alejarse de** | **tumbarse en** | **sentarse** | **acostarse** | **ponerse de** rodillas | **quedarse** sentado |

Si pulsas la tecla ➕, tu personaje .............................. la pantalla.

Si le das a la barra espaciadora tu personaje ................... el sofá.

Si pierde algo debajo de la mesa, tu personaje .............................. .

Al pulsar la tecla ➖, tu personaje ................................. la pantalla.

Si le das a la tecla Ⓑ, tu personaje .............................. .

Con la tecla Ⓐ .......................... ..................... durante horas.

Si tu personaje no tiene energía, ..................... para recuperarse.

*Muchos verbos que indican movimiento o posición son reflexivos y van con los pronombres **me** / **te** / **se** / **nos** / **os** / **se**.

## EL PRESENTE DE SUBJUNTIVO ▶ CE: 1 (p. 16)

|  | CONTROLAR | COMER | ESCRIBIR |
|---|---|---|---|
| yo | controle | coma | escriba |
| tú | controles | comas | escribas |
| él/ella | controle | coma | escriba |
| nosotros/-as | controlemos | comamos | escribamos |
| vosotros/-as | controléis | comáis | escribáis |
| ellos/ellas | controlen | coman | escriban |

### ALGUNOS VERBOS IRREGULARES

SABER **sep**a/-as/-a...
IR **vay**a/-as/-a...
TENER **teng**a/-as/-a...
HACER **hag**a/-as/-a...
DECIR **dig**a/-as/-a...
SALIR **salg**a/-as/-a...
HABER **hay**a/-as/-a...
VENIR **veng**a/-as/-a...

## ALGUNOS VERBOS CON CAMBIO VOCÁLICO

|  | PODER (O > UE) | QUERER (E > IE) | PEDIR (E > I) |
|---|---|---|---|
| yo | p**ue**da | qu**ie**ra | p**i**da |
| tú | p**ue**das | qu**ie**ras | p**i**das |
| él/ella | p**ue**da | qu**ie**ra | p**i**da |
| nosotros/-as | podamos | queramos | p**i**damos |
| vosotros/-as | podáis | queráis | p**i**dáis |
| ellos/ellas | p**ue**dan | qu**ie**ran | p**i**dan |

El presente de subjuntivo aparece casi siempre en **oraciones subordinadas**, es decir, que dependen de una oración principal. Se usa en muchas situaciones distintas, así que lo irás aprendiendo poco a poco.

En frases que expresan los sentimientos que nos provocan las acciones de otros, esas acciones van en subjuntivo. En cambio, cuando las acciones las llevamos a cabo nosotros, van en infinitivo.

(otra persona)
**que** mi padre **nos haga** el desayuno los domingos.

**Me encanta**
(a mí)
**hacer** el desayuno para mi familia los domingos.
(yo)

## EXPRESAR SENTIMIENTOS QUE PROVOCAN OTROS:
## QUE + SUBJUNTIVO ▶ CE: 1 (p. 16)

| (yo) | (otra persona) |
|------|----------------|
| *Me gusta/encanta/divierte/...*<br>*Me hace gracia/feliz...*<br>*No me importa...*<br>*Me da igual...*<br>*Me da rabia/pena/miedo/vergüenza/...*<br>*Me pone nervioso/-a/de mal humor/...*<br>*Me molesta/fastidia/...*<br>*No soporto/aguanto/...*<br>*Odio...* | que + subjuntivo<br><br>*que te pongas mi ropa.* |

**2.** Los hermanos Delgado siempre están discutiendo. Completa este diálogo eligiendo el tiempo verbal adecuado (**presente del subjuntivo** o **infinitivo**).

**BORJA:** Oye, Mar... ¿Has visto mi móvil? Me molesta que ................. (coger) mis cosas sin avisarme.

**MAR:** ¿Que yo he cogido tu móvil? ¿Y para qué quiero yo ese móvil tan viejo?

**BORJA:** Entonces, ¿dónde está? ¿No lo has visto?

**MAR:** Pues no. Y me fastidia ................. (buscar) tus cosas. No soy tu niñera.

**BORJA:** Pues a mí me da rabia ................. (perder) mi móvil. Además, tengo que enviar un mensaje a mis amigos.

**MAR:** Me da un poco de pena ................. (ver) que no encuentras nada. ¿Has mirado debajo del sofá?

**BORJA:** Claro que no. A ver... ¡Pero si está aquí! Lo has puesto tú, ¿no? Ya sabes que me da mucha rabia que ................. (hacer) eso.

**MAR:** (*Riendo.*) Claro... Me encanta ................. (comprobar) que eres tan inocente.

## PERÍFRASIS VERBALES ▶ CE: 6 (p. 7), 7 (p. 8)

PONERSE A + INFINITIVO
*Se pone a llorar.*

SEGUIR + GERUNDIO
*Sigue comiendo el bocadillo.*

ACABAR DE + INFINITIVO
*Acaba de entrar en casa.*

DEJAR DE + INFINITIVO
*Deja de ver la tele cuando su madre entra.*

ESTAR A PUNTO DE + INFINITIVO
*Está a punto de llegar.*

VOLVER A + INFINITIVO
*A las nueve, vuelve a llamar por teléfono.*

**3.** Completa este texto con las siguientes perífrasis verbales. Solo puedes utilizarlas una vez.

| seguir | dejar de |
|--------|----------|
| estar a punto de | ponerse a |

No aguanto a mi hermana pequeña. Dicen que es muy mona, pero ........................ volverme loca. A veces está tranquila y, de pronto, ........................ llorar sin motivo cuando mi madre entra en la habitación. Después, cuando mi madre se va, ........................ gritar y ........................ comiendo tranquilamente su merienda.

## USOS DE ESTAR ▶ CE: 2 (p. 5), 3 (p. 6), 5 (p. 7), 12 (p. 11)

POSICIÓN Y UBICACIÓN
*Sergio está de pie/sentado/tumbado/...*

ACCIÓN
*Sergio está caminando/estudiando/yendo al cine/...*

QUÉ LLEVA (ROPA, OBJETOS...)
*Sergio está vestido/desnudo/descalzo/...*
*está en pijama/bañador/...*
*está con los auriculares puestos/una raqueta en la mano...*
*está sin vestir.*

ESTADO DE ÁNIMO
*Sergio está de mal humor/contento/enfadado...*

ESTAR + PARTICIPIO/GERUNDIO
*Sergio está sentado/tumbado/... + leyendo*
*está sentado/tumbado + vestido/desnudo/descalzo/...*
*está con los auriculares puestos escuchando música.*
*está en la cocina sentado/comiendo/...*

**4.** Observa la imagen y comenta con tu compañero las respuestas a las siguientes preguntas.

▶ CE: 5 (p. 7), 8 (p. 8), 9 (p. 9), 10 (p. 10), 11 y 12 (p. 11), 1 (p 13)

¿Dónde está?
¿Qué hace?
¿Cómo crees que se siente?
¿Qué lleva?

# Bodas de sangre

*Bodas de sangre* es una de las obras de teatro más famosas de Federico García Lorca. En ella se narra una dramática historia de amor que acaba en un asesinato y está basada en unos hechos que ocurrieron en un pueblo de Andalucía a principios del s. XX. Como en todas las obras de Lorca, aparecen personajes reales y personajes simbólicos como la Luna, que es la mensajera de la muerte. Lee el fragmento que tienes a continuación. ¿Cómo crees que se sienten estos personajes?

## PERSONAJES

NOVIA: chica que se va a casar      MADRE: madre del novio
NOVIO: chico que se va a casar      PADRE: padre de la novia

*(Aparece la novia. Trae las manos caídas en actitud modesta y la cabeza baja.)*

MADRE: Acércate. ¿Estás contenta?

NOVIA: Sí, señora.

PADRE: No debes estar seria. Al fin y al cabo ella va a ser tu madre.

NOVIA: Estoy contenta. Cuando he dado el sí es porque quiero darlo.

MADRE: Naturalmente. *(Le coge la barbilla.)* Mírame.

PADRE: Se parece en todo a mi mujer.

MADRE: ¿Sí? ¡Qué hermoso mirar! ¿Tú sabes lo que es casarse, criatura?

NOVIA: *(Seria.)* Lo sé.

MADRE: Un hombre, unos hijos y una pared de dos varas de ancho para todo lo demás.

NOVIO: ¿Es que hace falta otra cosa?

**Federico García Lorca** (1898 - 1936) es uno de los escritores españoles más populares y conocidos en todo el mundo. Escribió poesía y teatro. En su obra tienen mucha importancia la cultura popular y los símbolos. Durante la República fundó la compañía de teatro La Barraca, que recorrió los pueblos de España representando obras clásicas. Al principio de la Guerra Civil española, fue fusilado por los insurgentes, contrarios a la República.

## VÍDEO

### *La cama*, de Teatro en el aire

Como contraste frente al teatro clásico y tradicional, en este vídeo verás un reportaje sobre Teatro en el aire, una compañía de teatro experimental formada por actores y actrices de diversas nacionalidades.

# El teatro en el Siglo de Oro

El Siglo de Oro español comprende los siglos XVI y XVII. Se llama así por ser el período más rico de las letras y de las artes españolas. En esta época, el teatro tiene una enorme importancia por la cantidad de obras y por ser un espectáculo de masas. Las obras teatrales se representaban en los llamados corrales de comedias. Comenzaban alrededor de las dos de la tarde y duraban hasta el anochecer, y la mayoría de espectadores debían permanecer de pie durante toda la representación porque había muy pocos asientos. Las obras estaban escritas en verso y constaban de tres actos y, entre ellas, se intercalaban cantos y bailes para entretener al público.

Los corrales de comedias eran un espacio cerrado, rectangular y descubierto del patio central de las viviendas.

El escenario está instalado en un extremo del patio, contra la pared de la casa del fondo.

Delante del escenario está el patio descubierto, en el que los hombres del pueblo asistían de pie al espectáculo.

Corral de comedias actual.

Las mujeres de clase baja se sentaban en un espacio reservado: un balcón frente al escenario.

Los balcones y las ventanas de las casas contiguas forman palcos, antiguamente reservados para las familias nobles.

AL MA GRO

39 FESTIVAL Internacional de Teatro Clásico 7/31de Julio 2016

¡Vive los clásicos!

INAEM · Castilla-La Mancha · DIPUTACIÓN DE CIUDAD REAL · Excmo. Ayuntamiento de Almagro · UNIVERSIDAD DE CASTILLA-LA MANCHA · www.festivaldealmagro.con

## El Festival Internacional de Teatro Clásico de Almagro

En Almagro, pequeña ciudad situada a 200 km de Madrid, se conserva el único corral de comedias del Siglo de Oro en estado original. Se trata de un patio de unos 300 m² rodeado de porches de madera.

Cada verano, en los meses de junio y julio, en esta localidad se celebra el Festival Internacional de Teatro Clásico. Su objetivo es la recuperación y difusión de los autores clásicos tanto españoles como extranjeros.

Almagro se convierte, por unos días, en un lugar de encuentro con la historia del teatro. El viejo corral de comedias recupera su antigua función y permite revivir el mundo mágico del teatro del Siglo de Oro.

## ¡ARRIBA EL TELÓN! VAMOS A ESCRIBIR Y A REPRESENTAR UNA PEQUEÑA OBRA DE TEATRO.

### ¿QUÉ NECESITAMOS?

**En papel**
- ✔ varias hojas de papel
- ✔ cartulinas para el programa y los decorados
- ✔ material para escribir y pintar
- ✔ objetos y disfraces para la representación

**Con ordenador**
- ✔ un procesador de textos
- ✔ una impresora y papel

**A.** En grupos, escribid el argumento de una pequeña historia sobre un conflicto en una familia y su solución (8 líneas como máximo).

**B.** Escribid una ficha con los siguientes datos para cada miembro de la familia:

- Nombre
- Estudios o profesión
- Aspecto físico
- Carácter
- Gustos y hábitos
- Relaciones con los otros miembros de la familia
- Estado de ánimo en el momento de la obra

**C.** Vais a convertir la historia en una obra de teatro siguiendo estos siete pasos:

1. dividid la historia en tres actos
2. escribidla en diálogos y añadid acotaciones
3. repartid los papeles y aprendéoslos de memoria
4. pensad en cómo serán el escenario y el vestuario
5. buscad o fabricad los accesorios necesarios
6. cread el programa que vais a dar al público
7. ensayad y representad la obra delante de los otros grupos

**TÍTULO DE LA OBRA:**

Lugar donde se representa:

Día y hora de la representación:

Reparto: (nombre de los actores)

Encargado de sonido: (si hay)

##  COMPRENSIÓN LECTORA

**1.** Lee esta descripción de la primera escena de una obra de teatro y compárala con el dibujo. Cambia el texto para que sea coherente con la imagen.

El decorado representa la habitación de una chica joven. A la derecha se ve una cama desordenada, con mucha ropa encima; a la izquierda, un armario que tiene una de las puertas abiertas y, al lado, una mesa de trabajo con un ordenador. Sobre la mesa hay libros y libretas. En primer plano hay una chica que está tumbada en el suelo, donde hay muchos CD, fotos y otras cosas. Es morena y tiene el pelo corto. Lleva un collar y minifalda. Está descalza. La chica está escuchando música con los auriculares puestos y comiendo patatas fritas. La puerta está entreabierta y se ve a un chico, su hermano, que acaba de entrar en la habitación. El hermano tiene una raqueta de tenis en la mano y está enfadado porque su hermana se la ha roto.

##  COMPRENSIÓN ORAL

Pista 16

**2.** Escucha el diálogo y contesta a estas preguntas.

**1.** ¿Qué relación hay entre las dos personas?
**2.** ¿Cuál es problema? ¿Por qué discuten?
**3.** ¿Qué ha estado haciendo Sonia durante una hora?
**4.** ¿Qué tiene que hacer mañana?

## EXPRESIÓN ORAL

**3.** Explica dos cosas que te molestan, dos cosas que molestan a otras personas pero a ti te dan igual y dos cosas que te gustan de las personas con las que convives. Pueden ser tus familiares, tus amigos, tus compañeros de clase...

##  INTERACCIÓN ORAL

**4.** En parejas, representad un diálogo en el que hay un conflicto entre dos compañeros de clase. Seguid los pasos siguientes:

▸ pensad en el conflicto
▸ repartid los papeles y tomad notas de lo que va a decir cada uno
▸ llegad a una solución del conflicto
▸ representadlo, pero cuidado: ¡no podéis leer!

## EXPRESIÓN ESCRITA

**5.** Piensa en el conflicto que habéis representado antes. ¿Cómo te imaginas el escenario? ¿Y los personajes? Escríbelo como una acotación antes del diálogo. Debes decir:

▸ qué objetos y muebles hay en el escenario y dónde están colocados
▸ cómo son los personajes físicamente y qué ropa llevan
▸ dónde están los personajes y qué están haciendo
▸ cuál es su estado de ánimo

# 2

# NUESTRO MUNDO

NUESTRO PROYECTO: VAMOS A REDACTAR UN PEQUEÑO DISCURSO PARA LEERLO ANTE LAS NACIONES UNIDAS.

## VAMOS A...

leer noticias de actualidad y a leer textos sobre los derechos de los niños y la igualdad;

escuchar noticias de la radio y a miembros de distintas organizaciones solidarias;

valorar y expresar interés sobre noticias y temas de actualidad;

hablar de derechos humanos y comentar datos estadísticos, a expresar y debatir puntos de vista sobre problemas sociales y a proponer soluciones;

escribir un discurso para leerlo ante las Naciones Unidas;

ver un vídeo de Amnistía Internacional.

## VAMOS A APRENDER...

- algunos cuantificadores: **muy / mucho/-a/-os/-as, tan / tanto/-a/-os/-as**;
- el **presente de subjuntivo** en frases valorativas;
- algunos cuantificadores para hablar de datos;
- el uso de la preposición **para** para expresar finalidad;
- verbos de obligación (**debería, habría que...**);
- léxico relacionado con los problemas sociales y las injusticias en el mundo;
- léxico relacionado con noticias de actualidad.

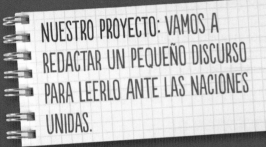

**¡Fuera petroleras!**
Canarias limpia y libre

INTERSINDICAL CANARIA

2

4

NINGÚN SER HUMANO ES ILEGAL

5

**SE VENDE**
ESTADO DEL BIENESTAR

VECIN@S EN LUCHA
...ECORTES NI PRIVATIZACIÓN
...SANIDAD ES NUESTRA!

7

## ¡A la calle!

**A.** Lee los eslóganes. ¿A favor o en contra de qué se manifiestan las personas que los llevan?

**a.** contra el sistema económico 4
**b.** a favor de los derechos de los animales 3
**c.** contra la discriminación 5
**d.** a favor de la sanidad pública 7
**e.** contra la guerra 1
**f.** a favor de la educación pública 6
**g.** contra la destrucción del medioambiente 2

**B.** Entre todos, comentad el significado de los eslóganes. ¿Cuál te gusta más? ¿Por qué?

## 1. Tus fuentes de información ▶ CE: 1 (p. 17), 2 (p. 26)

 **A.** ¿Cómo te enteras de las cosas que te interesan y de lo que pasa en el mundo? Observa este mapa mental y tómalo como referencia para crear el tuyo. Después compara tu mapa con el de un compañero.

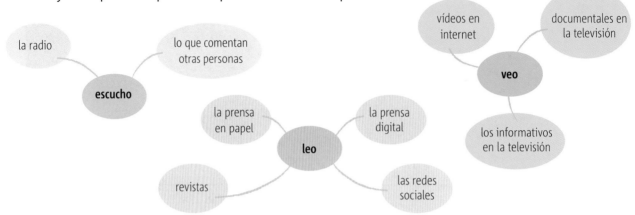

**B.** Observa los índices de estas revistas. ¿Qué temas te interesan más? ¿Por qué? Coméntalo con un compañero. ¿Seguís otros temas de actualidad?

- A mí me interesan sobre todo las noticias sobre la tecnología.
- A mí esas no me interesan nada. Yo prefiero las noticias sobre la vida de personajes famosos.

### JOVENCLUB

**12 CINE**
Los últimos estrenos y las mejores películas del año

**18 MODA**
Tendencias para el verano que viene

**23 MEDIOAMBIENTE**
Los retos del cambio climático

**27 TECNOLOGÍA**
Nuevos dispositivos móviles para conexión 5G

**31 MÚSICA**
Lanzamiento del último álbum de Julieta Venegas

**33 FAMOSOS**
Nuevo escándalo de la diva del pop electrónico

### MUNDO ACTUAL

#### ÍNDICE

**POLÍTICA:** el Gobierno se prepara para las próximas elecciones. Últimas encuestas de intención de voto ............................ **p. 03**

**CIENCIA:** investigadores peruanos descubren una nueva especie de rana ................ **p. 09**

**DEPORTE:** los 10 mejores equipos de las ligas más importantes del mundo ... **p. 15**

**CULTURA:** obras clave para entender a Dalí ......................................... **p. 25**

### NOTICIAS DE ACTUALIDAD
**la política:** elecciones, gobierno, voto
**la tecnología:** dispositivos móviles, conexión
**el medioambiente:** cambio climático, especie
**la ciencia:** investigación, descubrimiento
**el deporte:** equipos, liga
**la música:** lanzamiento, álbum
**la cultura:** estreno, obra
**la moda:** tendencias
**la vida de personajes famosos:** escándalo, diva

### EXPRESAR INTERÉS
(A MÍ) ME INTERESA/N BASTANTE / MUCHO / MUCHÍSIMO / SOBRE TODO
(A MÍ) NO ME INTERESA/N NADA / EN ABSOLUTO
- *A mí me interesan sobre todo* las noticias sobre tecnología.
- *A mí esas no me interesan nada*.

LO QUE MÁS ME INTERESA ES / SON...
- *Lo que más me interesa es* la ciencia.
- Pues a mí *lo que más me interesa son* las noticias culturales.

## 2. Buenas y malas noticias ▶ CE: 6 y 7 (p. 20)

 **A.** Lee estos recortes de periódico. ¿En cuál de estas secciones crees que han aparecido?

| Cultura | Medioambiente | Ciencia y tecnología | Deportes |

## BREVES

**❶** El mes pasado, la ONG Médicos Sin Fronteras publicó su informe sobre el acceso a las vacunas. Los precios siguen siendo muy elevados y no consiguen llegar a todos los niños que las necesitan.

**❷** Nace *El pájaro que vuela*, una revista literaria escrita desde la cárcel. Sus autores son presos y presas de un centro penitenciario.

### SOCIEDAD
**❸** Según un estudio reciente de la OCDE (Organización para la Cooperación y el Desarrollo Económico), entre los jóvenes de 25 a 34 años hay más mujeres con estudios superiores que hombres, pero la mayoría de personas con ese nivel de titulación que obtienen trabajo son hombres.

**❹** Una cadena de supermercados comienza a vender productos con el envase dañado bajo el lema "Bello en el interior". El objetivo es reducir la gran cantidad de artículos que se tiran por no cumplir con los estándares de perfección existentes.

**❺** Un enfermo de ELA (esclerosis lateral amiotrófica) corre un maratón con amigos y familiares y llega a la meta en cuatro horas.

### SUCESOS
**❻** Cinco heridos graves en una explosión en una fábrica ilegal de ropa. La fábrica no cumplía ninguna de las normativas sobre seguridad y derechos de los trabajadores.

 **B.** Valora las noticias anteriores usando las expresiones que ya conoces y estos adjetivos.

| interesante | esperanzador | conmovedor | bonito |
| sorprendente | indignante | injusto | una vergüenza |

● *Me parece conmovedor que...*

**C.** Escucha estas noticias de la radio. ¿De qué trata cada una? Explícalo y asócialas a las imágenes.
Pistas 17-19

| NOTICIA 1 | NOTICIA 2 | NOTICIA 3 |

**D.** Vuelve a escuchar las noticias. Valóralas y luego piensa cuál de ellas va a tener mayor impacto en tu vida.
Pistas 17-19

## VALORAR ▶ CE: 6 y 7 (p. 21)

| **Es** | injusto / horrible / una vergüenza | + **que** + presente de subjuntivo |
| **Me parece** | conmovedor / esperanzador / bonito | |

**Es una vergüenza que** *las medicinas* **sean** *un negocio.*
**Me parece conmovedor que** *un anciano* **participe** *en una competición deportiva.*

**Está (muy) bien / mal** + **que** + presente de subjuntivo
**Está muy bien que** *los gobiernos* **se preocupen** *por el medioambiente.*

### MINIPROYECTO

¿Has visto, leído o escuchado las noticias estos últimos días? Comparte con tus compañeros una noticia que te haya llamado la atención. Explica por qué.

## 3. La Convención sobre los Derechos del Niño ▶ CE: 2 (p. 18), 3 y 4 (p. 19)

**A.** ¿Sabes cuáles son los derechos de los niños y niñas según UNICEF? En parejas, pensad tres derechos que creéis que existen.

*No sé.* *Derecho de libertad a pensamientos nacionalidad y opinar*

● *Yo creo que uno de los derechos es el derecho a tener una familia.*

**B.** Ahora leed este resumen de la Convención sobre los Derechos del Niño y comprobad vuestras suposiciones. Luego, escribid otro derecho que os parece importante y que no aparece en el texto.

*Derecho de una vida divertida*

---

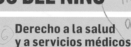

# CONVENCIÓN SOBRE LOS DERECHOS DEL NIÑO   unicef

*Hay 54 artículos*

*Listo*
*1) Nombre*
*2) Nacionalidad*
*3) Vivir con sus padres con un excepto*
*4) Opinar*
*5) Libertad de pensamiento*
*6) protección contra los malos tratos*
*7) Salud y servicios médicos*
*8) Educación*
*9) Practicar Cultura*
*10) Paz*
*11) Tiempo para jugar y descansar*

**Derecho a opinar**
El niño tiene derecho a expresar su opinión en todos los asuntos que le afectan. *tema*

**Derecho a la libertad de pensamiento**
El niño tiene derecho a la libertad de pensamiento, de conciencia y de religión.

**Derecho a un nombre y a una nacionalidad**
Todo niño tiene derecho a un nombre desde su nacimiento y a obtener una nacionalidad.

**Derecho a la protección contra los malos tratos**
El Estado debe proteger a los niños de todas las formas de malos tratos.

**Derecho a vivir con sus padres** *Excepción*
Todo niño tiene derecho a vivir con sus padres, excepto cuando la separación es necesaria para el interés del propio niño.

**Derecho a la salud y a servicios médicos**
Los niños tienen derecho a disfrutar del más alto nivel posible de salud y de los servicios médicos.

**Derecho a la educación**
Todo niño tiene derecho a una educación. El Estado debe asegurar una educación primaria gratuita y obligatoria.

**Derecho a la propia cultura**
Los niños de minorías o poblaciones indígenas tienen derecho a vivir en su propia cultura, a practicar su propia religión y a usar su propio idioma. *Pueden practicar su cultura*

**Derecho a la paz**
Ningún niño menor de 15 años debe participar directamente en la guerra. Todos los niños afectados por conflictos armados tienen derecho a recibir protección y cuidados especiales. *Sólo para los niños menos de 15.*

**Derecho a tener tiempo y lugar para jugar y descansar**
El niño tiene derecho al juego y a participar en las actividades artísticas y culturales.

¡Tenemos derecho a opinar!

¡Y a jugar!

¡Todos y todas!

**Fuente:** adaptado de www.unicef.es

---

**LOS DERECHOS DEL NIÑO** ▶ CE: 2 (p. 18)

Derecho a... un nombre / la salud
                la libertad de pensamiento /
                              de conciencia /
                              de religión
Derecho a... opinar / vivir con sus padres /
                tener tiempo para jugar
*Todos los niños del mundo tienen **derecho a** vivir con su familia.*

**VIOLACIÓN DE DERECHOS**
*En los países en guerra se producen muchas **violaciones de** derechos humanos.*

**CUANTIFICADORES** ▶ CE: 5 (p. 20)
MUY / MUCHO/-A/-OS/-AS, TAN / TANTO/-A/-OS/-AS
*Es **muy** necesario respetar los derechos de los niños.*
***Muchas** enfermedades las causa la desnutrición.*
*Es terrible que **tantos** niños tengan que trabajar.*

## 4. Los derechos no siempre se respetan ▸ CE: 5 (p. 20), 7 (p. 21)

 **A.** Observa el siguiente informe y, con tu compañero, comenta:
¿qué derechos de los niños no se respetan? ¿Por qué?

*El derecho a jugar no se respeta porque, según el texto, un 15%
de los niños del mundo trabaja.*

UNICEF calcula que hay 2200 millones de niños en el mundo. Se han hecho entrevistas en más de 650000 hogares en 50 países diferentes para recolectar nuevos datos sobre cómo viven los niños. Los datos muestran la necesidad de seguir trabajando para proteger los derechos de los niños.

**SALUD**

**17 000 niños menores de 5 años** mueren todos los días por causas que se pueden evitar.

**El número de muertes** de niños menores de cinco años ha disminuido a la mitad entre 1990 y 2013.

**Los jóvenes de 15 a 24 años** representan una tercera parte de los nuevos casos de infección por VIH (que puede causar sida).

**EDUCACIÓN**

Actualmente solo **81 de cada 100 niños** están matriculados en la escuela primaria.

Alrededor del mundo, apenas **un 64 % de los niños y un 61 % de las niñas** en edad escolar están matriculados en la escuela secundaria.

**TRABAJO**

**Un 15 % de los niños del mundo** está trabajando (por ejemplo, se considera trabajo infantil emplear 28 horas a la semana en la recolección de agua o de leña).

**Un 11 % de las niñas se casa** antes de cumplir 15 años. Una vez casadas, las niñas suelen abandonar la escuela y dedicarse exclusivamente a las tareas del hogar.

**Datos**: www.unicef.org / 2012

**B.** Escucha a Lola y Hugo hablando sobre estos datos y completa la tabla.
Pista 20

| | ¿Qué tres datos comenta Lola? | ¿Cuál es la opinión de Hugo? |
|---|---|---|
| 1 | *16.000* *Mueren de niños cada día* | *No es inguelsble que hay personas que no puede comer* |
| 2 | *15% niños mns del baños trabajan con adultos* | *Es terrible que niños en la basura y minas trabajan* |
| 3 | *Menos años el número de niños que mueren es menos que antes* | *Es bueno que No mueran tantos niños pequeños a disminuir* |

**C.** Lee la transcripción de la conversación entre Lola y Hugo y deduce el uso de **muchos** y **tantos**. A continuación, escribe en una lista la información de los textos sin usar las cifras.

▸ Muchos niños...          ▸ Más de la mitad de los
▸ Una tercera parte...      niños del mundo...
▸ La mayoría de...

**D.** Ahora comentad en parejas vuestra opinión sobre estos hechos.

*La salud es más avanzada es mejor*

*Nos parece injusto que mueran tantos niños por causas que se pueden evitar.*

### HABLAR DE LA CANTIDAD ▸ CE: 7 (p. 21)

**Algunos** niños...                **15 de cada 100** países...
**Bastantes** niños...              **Un 52 % de** los países del mundo...
**Muchos** niños...                 **Un 81 % (de)**...
**La mayoría de** los niños...      **El doble (de)**...
**(Casi) todos** los niños...       **(Más de) la mitad (de)**...
**No todos** los niños...           **Una tercera / cuarta / ... parte (de)**...

*La mayoría de los niños están matriculados en escuelas primarias.*
*Un 15 % de los niños del mundo trabaja.*

MINIPROYECTO

Busca una noticia en internet donde se hable de la violación de algún derecho de los niños. Puede ser en español o en tu idioma. Tráela a clase, explícala y valórala en español.

## 5. Organizaciones solidarias ▶ CE: 9 (p. 22), 1 (p. 25)

**A.** ¿Qué organizaciones solidarias conocéis? Entre todos, haced una lista y explicad la labor de cada una de ellas.

**B.** Lee qué hacen estas organizaciones solidarias e intenta relacionar los textos con los distintos logotipos.

*organizaciones no gubernamentales*

A — ALKARIA ongd catalana

B — Mano a Mano Bolivia

C — BANCO DE ALIMENTOS

D — MÉDICOS SIN FRONTERAS

E — AMA Asociación de Mujeres del Altiplano

F — ONCE

1 Ofrecen asistencia médica a zonas de todo el mundo que han sufrido catástrofes naturales, guerras o epidemias. *D*

2 Crean escuelas en zonas rurales de Bolivia. *B*

3 Es una asociación de mujeres de comunidades maya de Guatemala que cooperan para recibir formación y llevar adelante proyectos de desarrollo sostenible. *E*

4 Ayudan a mejorar la calidad de vida de las personas ciegas y con otras discapacidades. Para recaudar fondos tienen un sistema de venta de lotería en España. *F*

5 Recogen comida en poblaciones de toda España y la reparten entre las personas más necesitadas. *C*

6 Trabajan en zonas rurales de Marruecos, Senegal y Perú. Muchos de sus proyectos se centran en organizar actividades para la educación y el cuidado de los niños durante su tiempo libre. *A*

**C.** Escucha a estos representantes de cuatro organizaciones solidarias que han participado en un programa de radio y marca en qué asociación crees que trabaja cada uno.

*Pistas 21-24*

| | Audio 1 Daniela | Audio 2 Manuel | Audio 3 Alicia | Audio 4 Eduard |
|---|---|---|---|---|
| Médicos Sin Fronteras | ✓ | | | |
| Mano a Mano | | | | |
| Alkaria | | | ✓ | |
| Asociación de Mujeres del Altiplano | | | | |
| ONCE | | ✓ | | |
| Banco de alimentos | ✓ | | | ✓ |

**D.** De las personas que has escuchado, ¿quién crees que puede hacer cada uno de los comentarios siguientes? Discútelo en clase.

1. Debería haber un carril para bicicletas y sillas de ruedas en muchas calles. *Manuel*
2. En la educación se debería tener más en cuenta el aspecto social y afectivo: si los niños aprenden a participar, a convivir y a expresarse libremente *Alicia* van a aprender más y a ser más felices.
3. Los ministerios de Defensa deberían poner los aeropuertos militares a nuestra disposición cuando los otros están cerrados. *Daniela*
4. Los supermercados deberían estar obligados a repartir la comida que no pueden vender entre organizaciones como la nuestra para podérsela dar a quien la necesita. *Eduard*

---

### ORGANIZACIONES SOLIDARIAS ▶ CE: 9 (p. 22)

*dar atención a una problema*

ocuparse de → mejorar

concienciar / concientizar
*(decir algo sobre una problema)*

**asociación**

denunciar, protestar (contra) → proteger, defender

financiar

hacer actividades → mostrar solidaridad

**voluntarios**

ayudar → organizar

### HAY MUCHA GENTE QUE...

*Hay mucha gente que se preocupa por el medioambiente.*
*Hay muchos jóvenes que leen muy poco.*
*Hay muchas personas que colaboran con una ONG.*

### FINALIDAD ▶ CE: 1 (p. 17)
**PARA + INFINITIVO**
*Para recaudar fondos tienen un sistema de venta de lotería en España.*

**PARA + NOMBRE**
*Muchos de sus proyectos se centran en organizar actividades para la educación de los niños.*

## 6. En nuestro país

CE: 8 (p. 22), 10 (p. 23), 1 y 2 (p. 24), 3 (p. 27) 1 (p. 28)

 **A.** Observa el cartel que tienes a continuación. ¿De quién habla? ¿Por qué crees que han escogido este lema?

# A IGUAL TRABAJO, IGUAL SALARIO
### Día Internacional de la Mujer

 **B.** Lee la opinión de dos mujeres acerca de la dificultad de encontrar trabajo. ¿Has escuchado alguna vez opiniones parecidas? ¿Cuál es la situación de las mujeres trabajadoras en tu país? Coméntalo con tus compañeros.

> Cuando buscaba trabajo todavía había muchos anuncios en donde se leía: "Se busca mujer con buena presencia".

> Creo que algunas empresas prefieren contratar a un hombre. Si la mujer tiene hijos, la empresa tiene que pagar su sueldo mientras no está.

 **C.** Lee esta lista con otros problemas sociales. ¿Crees que existen en el lugar donde vives? Comparte tu opinión con un compañero.

1. Hay poca vida familiar, los padres no tienen tiempo para estar con los hijos.
2. Hay muchos jóvenes que tienen problemas con las drogas.
3. Hay mucha gente que no tiene trabajo.
4. Hay muchas familias que no tienen suficiente dinero para vivir.
5. Hay personas discriminadas por su raza o por su cultura.

 **D.** Entre todos, tratad de exponer por escrito ejemplos y soluciones para los problemas que habéis identificado.

Se debería...
Debería haber...

---

**PROPONER SOLUCIONES**

CE: 3 (p. 27), 1 (p. 28)

CON SUJETO PERSONAL
*El Estado **debería** prohibir que se tire la comida.*
*Los supermercados **deberían** repartir lo que no pueden vender.*

IMPERSONAL

| | |
|---|---|
| ***Habría que*** | *pensar más en los demás.* |
| **Se debería** | |

## MINIPROYECTO

En grupos de tres, elegid dos problemas que existen en vuestra ciudad o región y pensad qué debería hacer el gobierno y qué podéis hacer vosotros para solucionarlos. Presentad vuestra propuesta a la clase.

Debería haber medidas para que las mujeres accedan a los mismos puestos directivos que los hombres.

## DERECHOS HUMANOS ▶ CE: 2 (p. 18)

**1.** A continuación tienes algunas viñetas del dibujante Quino para ilustrar los derechos del niño. Míralas y luego, con las palabras siguientes, completa las frases donde se exponen los derechos del niño.

| nombre | protección | diversión | raza |
| igualdad | educación | nacionalidad | malos tratos |

TOTAL, TODO ESO YA TENDREMOS TIEMPO DE SUFRIRLO CUANDO SEAMOS GRANDES.

El niño tiene derecho a no recibir ..malos tratos..y a no ser explotado laboralmente.

¿O SEA QUE EN CASO DE HAMBRUNA MUNDIAL, TODOS, TODOS, TODOS LOS HELADOS DE FRESA CON CREMA NOS LOS DARÍAN PRIMERO A NOSOTROS?

NUESTRO DERECHO A LA EDUCACIÓN ES TAN INDISCUTIBLE.....

...QUE NO HAY LA MÁS MÍNIMA ESPERANZA DE QUE ALGÚN ALMA CARITATIVA NOS LO QUITE!

El niño debe, en todas las circunstancias, figurar entre los primeros que reciban ..protección..y socorro.

El niño tiene derecho a una ..educación.. gratuita; derecho a la ..diversión.. y a jugar.

¡¡YO QUERÍA LLAMARME BATMAN!! ¡¡Y ADEMÁS SER SUIZO, PARA COMER CHOCOLATE TODO EL DÍA!!

El niño tiene derecho desde su nacimiento a un ..nombre.. y a una ..nacionalidad..

El niño tiene derecho a la ..igualdad.., sin distinción de ..raza.., religión o nacionalidad.

---

## MUY/MUCHO/A/OS/AS
## TAN/TANTO/A/OS/AS ▶ CE: 5 (p. 20)

### MUY → TAN/TANTO
- *Los gobiernos invierten **muy** poco en investigar enfermedades raras.*
- *Tienes razón. Está mal que los gobiernos inviertan **tan** poco en eso.*

### MUCHO → TANTO
- *Los gobiernos gastan **mucho** dinero en armas.*
- *Sí, es verdad, es horrible que gasten **tanto** dinero en algo así.*

### MUCHA → TANTA
- *Una de las principales preocupaciones de los ciudadanos de este país es que hay **mucha** corrupción.*
- *¿Y por qué hay **tanta**?*

### MUCHOS → TANTOS
- ***Muchos** jóvenes tienen problemas con las drogas.*
- *Es cierto, casi **tantos** como hace treinta años.*

### MUCHAS → TANTAS
- ***Muchas** personas mayores utilizan internet.*
- *Sí, como mi abuela. Está muy bien que **tantas** personas mayores lo utilicen.*

## VALORAR SITUACIONES Y HECHOS ▶ CE: 6 y 7 (p. 21)

| Es/ Me parece | injusto horrible una vergüenza interesante esperanzador conmovedor sorprendente indignante una buena noticia | **que** + presente de subjuntivo *que sucedan cosas así.* <br><br> infinitivo *ver cosas así.* |
|---|---|---|
| Está | (muy) bien/mal | **que** + presente de subjuntivo *que la gente piense así.* <br><br> infinitivo *pagar por algo así.* |

**2.** Valora las siguientes frases.

**1.** Hay muchos jóvenes colaborando con organizaciones solidarias.
*Es una buena noticia que haya tantos jóvenes colaborando con organizaciones solidarias.*

**2.** Todavía existe mucha diferencia de sueldo entre hombres y mujeres.

▶ ..............................................................................

**3.** Muchos niños no pueden ir a la escuela.

▶ ..............................................................................

**4.** Hay mucha gente sin trabajo.

▶ ..............................................................................

**5.** Cada día muchas personas de todo el mundo se conectan a internet.

▶ ..............................................................................

**6.** La venta de armas es un negocio muy rentable.

▶ ..............................................................................

## HAY MUCHA GENTE QUE...

*Hay mucha gente que* se preocupa por el medioambiente.
*Hay muchos jóvenes que* leen muy poco.
*Hay muchas personas que* colaboran con una ONG.

## PROPONER SOLUCIONES ▶ CE: 1 (p. 28)

CON SUJETO PERSONAL:

*El gobierno **debería** construir más centros sanitarios y más escuelas.*
***Deberíamos** ser más solidarios.*

IMPERSONAL:

***Habría que / Se debería** pensar más en los demás.*
***Debería haber** un carril para bicis.*

**3.** Relaciona los problemas con sus posibles soluciones. Después escribe frases para proponerlas.

| PROBLEMAS | POSIBLES SOLUCIONES |
|---|---|
| **1.** Muchos millones de personas alrededor del mundo están pasando hambre. | **A.** Limitar las emisiones de gases tóxicos de las fábricas. |
| **2.** El aire que se respira en muchas ciudades está contaminado. | **B.** Exportar medicamentos gratuitos donde se necesiten. |
| **3.** Una tercera parte de toda la población del mundo vive sin acceso a internet. | **C.** Ayudar a los refugiados a encontrar nuevos países de acogida. |
| **4.** Muchos niños en el mundo mueren de enfermedades que tienen cura. | **D.** Hacer campañas de recogida de alimentos. |
| **5.** La población de los lugares en guerra huye de sus países. | **E.** Financiar proyectos para que la conexión llegue a todas las poblaciones. |

**1.** Habría que hacer campañas de recogida de alimentos para reducir el hambre en el mundo.

**2.** ..............................................................................
**3.** ..............................................................................
**4.** ..............................................................................
**5.** ..............................................................................

## HABLAR DE LA CANTIDAD ▶ CE: 7 (p. 21)

| La mayoría | |
|---|---|
| Un 81 % | |
| El doble | de los niños... |
| Una tercera parte | |
| (Casi) la mitad | |

| Creo que | **algunos** niños... |
|---|---|
| | **bastantes** niños... |
| | **muchos** niños... |
| | **(casi) todos** los niños... |
| | **no todos** los niños... |

**4.** Los estudiantes del IES García Lorca han contestado a una encuesta sobre las ONG. Observa el gráfico y escribe frases utilizando las expresiones anteriores sin mencionar cifras.

*Casi la mitad de los estudiantes opina que...*

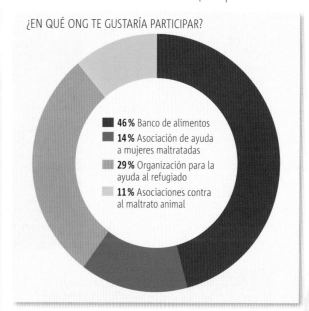

¿EN QUÉ ONG TE GUSTARÍA PARTICIPAR?

- **46 %** Banco de alimentos
- **14 %** Asociación de ayuda a mujeres maltratadas
- **29 %** Organización para la ayuda al refugiado
- **11 %** Asociaciones contra al maltrato animal

## FORMACIÓN DE PALABRAS ▶ CE: 1 (p. 24)

**5.** Completa la tabla escribiendo el sustantivo o el verbo correspondiente.

| | |
|---|---|
| *solidaridad* | solidarizarse |
| organización | |
| | proteger |
| | inaugurar |
| | descubrir |
| celebración | |
| | participar |
| educación | |

# Jóvenes que marcan la diferencia

A pesar de que el mundo laboral es cada vez más difícil entre la gente joven y de que la cultura recibe menos apoyo por parte de los gobiernos, algunos jóvenes han visto cumplido sus sueños.

### Daniel Valtueña

Tiene 20 años, hace dos creó la compañía teatral Teatroedro y hace uno que fundó una plataforma para artistas jóvenes llamada Clip on Art. Estudia Historia del Arte.

### Violeta Lanza

A los 19 años, Violeta Lanza (en la imagen) fundó, junto con Rocío Calzado, la revista digital *The Bo Review of Human Arts*. Vive en Londres, donde estudia Filosofía y Derecho en el University College.

### Colectivo Marev

Marc Gascón y Eva Chamosa, de 19 años, se dedican a diferentes disciplinas, como las 'performances', el videoarte o el diseño. Sus referencias son Marina Abramovic y Joseph Beuys, y les gusta jugar con el lenguaje.

### Misterpiro

Andrés Sánchez, grafitero, tiene 20 años y ya ha trabajado pintando para clientes como Cosmopolitan TV o Samsung. Es un gran defensor de internet como fuente de oportunidades para los artistas.

### Jesús Lavi

Es actor de la Joven Compañía, un colectivo de artistas de entre 18 y 25 años. Su última producción, *Hey Boy, Hey Girl*, critica la poca esperanza que tienen hoy los jóvenes.

**Fuente:** "Los creadores más jóvenes", fotorreportaje de Samuel Sánchez en: *El país semanal*, 18/02/2015.

**GRUPO:** Canteca de Macao.

**CANCIÓN DESTACADA:** *Los hijos del hambre no tienen mañana*, de la que acaba de lanzar un videoclip para celebrar su décimo aniversario. Para la ocasión, el grupo deja de lado el canalleo y reflexiona sobre la desesperanza y el sufrimiento de la inmigración.

**QUÉ DICE LA LETRA:** "Entonces se apagan todas las luces del barrio / y así la gente duerme y no piensa / en los que pierden su vida a diario."

**SU COMPROMISO:** Priorizar el mensaje y contar la realidad.

**Fuente:** http://www.20minutos.es/noticia/1720915/0/vuelve/nueva/cancion-protesta/

## VÍDEO
## El mundo puede cambiar...

...pero no va a cambiar solo. Amnistía Internacional, más de 50 años trabajando por los derechos humanos.

### Nocturno de San Ildefonso

Pista 25

El bien, quisimos el bien:
                enderezar al mundo.
No nos faltó entereza:
                nos faltó humildad.
Lo que quisimos no lo quisimos con inocencia.

Fragmento de "Nocturno de San Ildefonso", en: *Vuelta* (Barcelona: 1989, Seix Barral), del escritor mexicano Octavio Paz.

### Octavio Paz
Nacido en México en 1914, es uno de los más influyentes escritores del siglo XX y uno de los grandes poetas hispanos de todos los tiempos. En 1981 recibió el Premio Cervantes y en 1990 fue galardonado con el Premio Nobel de Literatura.

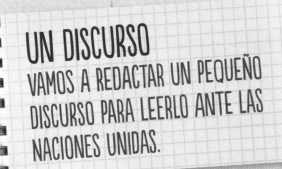

## UN DISCURSO
VAMOS A REDACTAR UN PEQUEÑO DISCURSO PARA LEERLO ANTE LAS NACIONES UNIDAS.

**A.** Antes de redactar vuestro discurso, observad este fragmento de otro que ha preparado un grupo de estudiantes.

### ¿QUÉ NECESITAMOS?

**En papel**
- dos o tres hojas de papel para cada grupo
- material para escribir

**Con ordenador**
- un procesador de texto
- papel y una impresora

| | |
|---|---|
| Breve agradecimiento | "Antes de comenzar, nos gustaría dar las gracias a la Asamblea de las Naciones Unidas por habernos invitado a expresar nuestra opinión. Es un honor estar hoy aquí. |
| Presentar a los miembros del equipo | Venimos en representación de los estudiantes de 4º curso de ESO del Instituto Rubén Darío de Madrid. |
| Presentar los objetivos del discurso | Nuestra intención es llamar la atención sobre tres problemas del mundo que nos preocupan especialmente y sobre los que hemos reflexionado mucho durante el último semestre. |
| Hablar sobre los tres problemas | En primer lugar, nos gustaría centrarnos en las consecuencias de la pobreza. Deberíamos fomentar el desarrollo en los países con menos recursos para mejorar su situación económica y la calidad de vida de sus ciudadanos. En segundo lugar, (...) |
| Breve conclusión que acabe con una cita | Por último, nos gustaría acabar con una frase de Nelson Mandela: 'Negar a la gente sus derechos humanos es desafiar su propia humanidad'. También nosotros creemos en estos principios de justicia. |
| Agradecimiento final | Muchas gracias por su atención y por la maravillosa oportunidad que nos han brindado al invitarnos a este foro." (APLAUSOS) |

**B.** En pequeños grupos, decidid cuáles son los tres principales problemas del mundo actual. Podéis fijaros en los ocho Objetivos de Desarrollo del Milenio de la ONU que tenéis abajo. Pensad en qué consiste cada uno de ellos, en sus causas y en cómo afectan al mundo. Proponed, también, posibles soluciones.

**C.** Escribid el discurso a partir de las reflexiones y propuestas anteriores. Tened en cuenta las partes del discurso que habéis analizado anteriormente.

**D.** Buscad una cita con la que acabar el discurso y que esté relacionada con el mensaje que queréis transmitir.

**E.** Repartíos las partes del discurso entre los miembros del grupo y practicadlo juntos y por separado.

**F.** Cuando ya tengáis el discurso bien ensayado, leedlo ante toda la clase. Al final de cada exposición, los demás compañeros deberán haceros preguntas.

**APRENDER A APRENDER** Para escribir un **texto argumentativo**, usa los **conectores** adecuados para unir y relacionar las ideas.

 1 ERRADICAR LA POBREZA EXTREMA Y EL HAMBRE
 2 EDUCACIÓN BÁSICA PARA TODOS
 3 IGUALDAD DE OPORTUNIDADES PARA EL HOMBRE Y LA MUJER
 4 REDUCIR LA MORTALIDAD INFANTIL
 5 MEJORAR LA SALUD EN LA MATERNIDAD
 6 AVANZAR EN LA LUCHA CONTRA EL VIH Y OTRAS ENFERMEDADES
 7 ASEGURAR UN MEDIO AMBIENTE SANO Y SEGURO
 8 LOGRAR UNA SOCIEDAD GLOBAL PARA EL DESARROLLO

*[anotación manuscrita:]* ayudar familia, pobres, compra banco, y servicio del medio, competir, malnutrición de niños

## COMPRENSIÓN LECTORA

**1.** Lee este manifiesto firmado por un grupo de premios Nobel. ¿Lo firmarías? ¿Por qué?

### MANIFIESTO:

Porque el año 2000 debe ser un nuevo comienzo para todos nosotros. Juntos podemos transformar la cultura de guerra y de violencia en una cultura de paz y de no violencia.

Porque esta evolución exige la participación de cada uno de nosotros y ofrece a los jóvenes y a las generaciones futuras valores que les ayuden a forjar un mundo más justo, más solidario, más libre, digno y armonioso, y más próspero para todos.

Porque la cultura de paz hace posible el desarrollo duradero, la protección del medioambiente y la satisfacción personal de cada ser humano.

Porque soy consciente de mi parte de responsabilidad ante el futuro de la humanidad, especialmente para los niños de hoy y de mañana,

**Me comprometo** en mi vida cotidiana, en mi familia, en mi trabajo, en mi comunidad, en mi país y en mi región **a**:

- **respetar la vida** y la dignidad de cada persona, sin discriminación ni prejuicios;

- **practicar la no violencia activa**, rechazando la violencia en todas sus formas: física, sexual, psicológica, económica y social, en particular hacia los más débiles y vulnerables, como los niños y los adolescentes;

- **compartir mi tiempo y mis recursos materiales**, cultivando la generosidad para terminar con la exclusión, la injusticia y la opresión política y económica;

- **defender la libertad de expresión y la diversidad cultural**, privilegiando siempre la escucha y el diálogo, sin ceder al fanatismo, ni a la maledicencia y al rechazo del prójimo;

- **promover un consumo responsable** y un modo de desarrollo que tenga en cuenta la importancia de todas las formas de vida y el equilibrio de los recursos naturales del planeta;

- **contribuir al desarrollo de mi comunidad**, propiciando la plena participación de las mujeres y el respeto de los principios democráticos, con el fin de crear juntos nuevas formas de solidaridad.

EL MANIFIESTO 2000 PARA UNA CULTURA DE PAZ Y DE NO VIOLENCIA, CREADO POR UN GRUPO DE PREMIOS NOBEL, NO ES UN LLAMAMIENTO, NI UNA PETICIÓN DIRIGIDA A INSTANCIAS SUPERIORES; SE TRATA DE UN COMPROMISO QUE EMPIEZA A NIVEL INDIVIDUAL.

## COMPRENSIÓN ORAL

Pista 26

**2.** Escucha esta noticia de radio y contesta a las preguntas.

1. ¿Qué tiene lugar el 13 de septiembre? *una festival de música solidar*
2. ¿Qué es "Un plato en la escuela"? *Organi variedes*
3. ¿Cuáles son los dos objetivos de "Un plato en la escuela"? *que necesiten banco*
4. ¿Cómo se paga para entrar? *paga seguro, no río, asistensia*

## EXPRESIÓN ESCRITA

**3.** Describe una organización no gubernamental que conozcas. ¿Cómo se llama? ¿Qué hace? ¿Cuáles son sus objetivos? ¿Cuáles son sus valores?

## EXPRESIÓN ORAL

**4.** *"En este mundo no hay lugar para los parásitos, se debe ser colectivo, comprometerse con los demás".* Esta frase la pronunció José Mújica, expresidente de Uruguay, en un discurso. Aquí la palabra "parásito" tiene un sentido figurado. ¿Qué crees que significa en este texto?

**parásito** ADJ. / N. M. Organismo animal o vegetal que obtiene sus nutrientes de otro organismo vivo, causándole algún daño o enfermedad.

## INTERACCIÓN ORAL

**5.** Vais a mantener un pequeño debate sobre la desigualdad entre mujeres y hombres y algunas posibles soluciones a este problema. Para ello vais a seguir los pasos siguientes:

- Dividid la clase en dos grupos: los que creen que existe (grupo A) y los que creen que no (grupo B).
- Por grupos, elaborad una lista de argumentos que defienda vuestra postura (es muy importante tener en cuenta que es un debate ficticio y que no tiene por qué coincidir con vuestras opiniones reales).
- Sin leer la lista, debatid en pequeños grupos mixtos (A y B).

# SE BUSCAN CANDIDATOS

**NUESTRO PROYECTO:** VAMOS A SELECCIONAR CANDIDATOS PARA UN PROYECTO SOCIAL.

Buscamos aficionadas al baloncesto para jugar en el equipo femenino del instituto. Interesadas poneos en contacto con los profesores de Educación Física o escribid un correo electrónico a educacionfisica@iesmenendez.dif

ME VOY A VIVIR AL EXTRANJERO Y NO PUEDO LLEVARME A MI GATO. ES NEGRO, MUY CARIÑOSO Y SOLO TIENE UN AÑO. TE HARÁ MUCHA COMPAÑÍA. IVANA. TEL. 657320933, C. E.: IVANA@ER.DIF

## VAMOS A...

 leer las características y requisitos de un buen candidato y a comprender ofertas de trabajo y convocatorias; leer cartas de motivación;

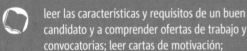 redactar un curriculum y cartas de motivación, y a escribir un anuncio de una oferta de trabajo;

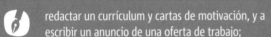 escuchar entrevistas de trabajo y un proceso de selección de candidatos

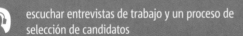 presentarnos, describir proyectos y convocatorias y exponer nuestras motivaciones;

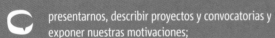 hacer recomendaciones para una entrevista de trabajo y definir los requisitos para un puesto de trabajo; reflexionar sobre las características de un buen candidato;

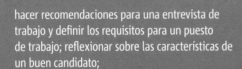 ver un cortometraje acerca de una entrevista de trabajo ficticia.

## VAMOS A APRENDER...

- el uso del presente de subjuntivo para expresar requisitos y para valorar;
- léxico sobre actitudes y características personales en el mundo laboral;
- las partes de un curriculum vitae;
- las partes de una carta formal;
- las estructuras **para** + infinitivo y **para que** + subjuntivo;
- el imperativo negativo.

**Necesitamos EXTRAS:** chicos y chicas jóvenes para rodaje de película. Presentarse en los estudios "La Cámara" (Carretera de Logroño, 45) el sábado día 10 a las 9:00 h.

Me gustaría recibir clases de D.J. A cambio doy clases de conversación en alemán.
Daniel. Tel. 82367212

Somos un grupo de música pop. Buscamos guitarrista, cantante y una mesa de sonido de segunda mano.
Micaela. Tel. 985127898

Se necesita chico o chica joven para trabajar en tienda de moda los sábados. ¡Bien pagado! Nuestros empleados tienen un descuento del 20 % en todas las prendas! c.e.: ropaguay@info.dif

## Tablón de anuncios

Lee estas ofertas y comenta a cuál te gustaría responder y por qué.

A mí me gustaría responder a la de Ivana porque me encantan los gatos.

## 1. ¿Qué tipo de persona eres? ▶ CE: 1 (p. 29), 2 (p. 30), 3 (p. 31)

**A.** Una empresa de tiempo libre busca monitores para un campamento. Completa este test para seleccionar candidatos.

---

### TEST PARA CANDIDATOS A MONITOR

**1. Si cometes un error grave en tu trabajo...**
**A.** intentas esconderlo y olvidarlo.
**B.** aceptas el error, pero empiezas a perder la confianza en ti mismo/-a.
**C.** aceptas el error e intentas aprender de este.

**2. Si tienes que tomar una decisión difícil...**
**A.** intentas ganar más tiempo para decidir más tarde.
**B.** escuchas tu voz interior y te arriesgas a hacer lo que crees que debes hacer.
**C.** preguntas a varios colegas y después decides.

**3. Si tienes una confrontación con un compañero...**
**A.** intentas olvidarla y no hablas con él o ella.
**B.** hablas con esa persona inmediatamente.
**C.** dejas pasar un tiempo y luego hablas con esa persona.

**4. Si no estás de acuerdo con algo...**
**A.** prefieres no decirlo.
**B.** intentas decirlo, pero al final no te posicionas.
**C.** comunicas tus ideas de una forma positiva y segura.

**5. ¿Cuál es tu objetivo si consigues este empleo?**
**A.** Tener éxito, triunfar.
**B.** Ganar suficiente dinero para permitirte algún capricho.
**C.** Hacer realmente lo que te gusta, cumplir un sueño.

---

**B.** Estos son los resultados del test. ¿Crees que eres un buen candidato? ¿Por qué?

| Mayoría de respuestas A | Mayoría de respuestas B | Mayoría de respuestas C |
|---|---|---|
| No eres capaz de enfrentarte a los problemas. | Te falta control para no dejarte llevar por ciertos pensamientos negativos al enfrentarte a los problemas. Actúas por intuición. | Te enfrentas a los problemas de forma adecuada, pensando antes en cómo actuar y sin dejarte llevar por las primeras sensaciones. |

### COLOCACIONES FRECUENTES

▶ CE: 2 (p. 37)

cometer + errores
tomar + decisiones
estar + seguro/a de sí mismo/a
resolver + conflictos
mantener + relaciones
alcanzar + el éxito
ganar + dinero
controlar + las emociones

### EXPRESAR REQUISITOS ▶ CE: 7 (p. 32), 10 y 11 (p. 34)

| *Se busca/n* *Se necesita/n* *Se requiere/n* | *candidato/s* | *que* + subjuntivo *que hablen* varios idiomas. |
|---|---|---|

| *Es preferible* *Es imprescindible* *Es necesario* *Es interesante* | *que tengan* espíritu crítico. (los candidatos) *tener* espíritu crítico. (en general) |
|---|---|

## 2. Recomendaciones

CE: 1 (p. 29), 2 (p. 30), 1 (p. 37)

 **A.** Lee este artículo y piensa si estás preparado para el mundo laboral. ¿En qué aspectos crees que deberías mejorar para ser un buen candidato al mundo laboral?

# EL MUNDO LABORAL

*por Sonia Mendoza*

Las cosas han cambiado mucho. Hoy en día los departamentos de Recursos Humanos se concentran en los valores que se consideran más importantes en un candidato. Por ejemplo, se prefieren personas **que tengan** espíritu crítico, capacidad de arriesgarse y de tomar decisiones con rapidez. Los conocimientos no son tan importantes porque se pueden aprender en el trabajo o incluso, a veces, encontrar en internet, pero sí es necesario tener motivación y mucha intuición.

Se buscan trabajadores **que tengan** cierto autocontrol y se descartan los candidatos conflictivos y agresivos: es necesario **que** las personas que trabajan en equipo **sean** empáticas. Se quieren hombres y mujeres **que no persigan** solo el éxito o el dinero, sino **que demuestren** pasión por su trabajo y **que sepan** relacionarse bien con los demás. Conocer otras culturas y hablar lenguas normalmente hace a las personas más abiertas y tolerantes. Por eso es preferible **que** los empleados en puestos importantes **sean** multilingües.

### ACTITUDES Y CARACTERÍSTICAS PERSONALES

CE: 2 (p. 37)

Tener motivación
Tener intuición
Tener empatía
Tener sensibilidad intercultural

Saber trabajar en equipo

Ser capaz de dar su opinión

Ser abierto/-a
responsable
flexible
agresivo/-a
tímido/-a
arriesgado/-a
optimista
crítico/-a
honesto/-a
tolerante

 **B.** Observa las estructuras en negrita del artículo. ¿Qué tienen en común? Transforma estas frases usando la misma estructura.

**Es necesario que los candidatos...**

▸ tener capacidad de arriesgarse
  *Es necesario que los candidatos tengan capacidad de arriesgarse.*
▸ tomar decisiones rápidamente
▸ tener motivación
▸ poseer ciertas dosis de intuición
▸ conocer otras culturas
▸ hablar varios idiomas

 **C.** Escucha los comentarios del departamento de Recursos Humanos sobre Julia y Óscar, dos candidatos a un nuevo puesto de trabajo, y completa la tabla.

Pistas 27-28

|  | Puntos fuertes | Puntos débiles |
|---|---|---|
| Candidato 1 | *segura de sí misma* |  |
| Candidato 2 |  |  |

 **D.** ¿Qué candidato crees que van a escoger? ¿Por qué? Escucha el veredicto y di si estás de acuerdo con la decisión.

Pista 29

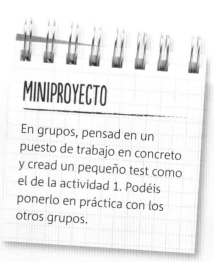

## MINIPROYECTO

En grupos, pensad en un puesto de trabajo en concreto y cread un pequeño test como el de la actividad 1. Podéis ponerlo en práctica con los otros grupos.

## 3. El currículum ▶ CE: 8 (p. 33), 1 (p. 38), 1 (p. 40)

 **A.** Leed estos anuncios en pequeños grupos y decidid a qué anuncios podríais presentaros y a cuáles no.

**A** Asociación de padres y madres de escuela de primaria busca **chico o chica de 16 años** para trabajo de ayudante de monitor de deportes (baloncesto, balonmano, fútbol y tenis).

Horario: **miércoles y viernes de 17:30 a 19:30 h.**

Se precisa carné de monitor juvenil.

**B** Se necesitan **jóvenes de ambos sexos para trabajo en campamento internacional** durante los meses de julio y agosto.

**Tareas:** labores de ayuda en la guardería, animación de juegos juveniles, apoyo al monitor de natación. Un día libre a la semana.

**Imprescindible saber inglés y español.**

**C** Busco joven que quiera **pasear a mis perros** dos veces al día. Imprescindible que esté en buena forma y que le gusten los animales.

**El horario es** de 7:30 a 8 h de la mañana y de 8 a 8:30 h de la tarde. Todos los días, sábados y domingos incluidos.

**B.** Lee el currículum de Eva. ¿Para cuál de las ofertas anteriores está mejor preparada?

## Eva González Bergara

**DATOS PERSONALES**
**Nacionalidad:** española
**DNI:** 4561904-P
**Fecha de nacimiento:** 1 de julio de 2000
**Lugar de nacimiento:** Punta Umbría (Huelva, España)
**Domicilio:** c/ Joaquín Costa 46, 1º 2ª. 08001 – Barcelona
**Teléfono:** 93245636 · Móvil: 646 3636 8091
**Correo electrónico:** VgBergar34@aolef.dif

**EXPERIENCIA PROFESIONAL**
**2016** (2 meses: julio y agosto) Ayudante en un campo de trabajo en Ecuador.
**2015** (2 meses: julio y agosto) Animadora pedagógica en la casa de colonias La campana (Viladrau, Girona).

**TITULACIÓN ACADÉMICA**
**2016** Estudiante de 4º de ESO en el IES Roger de Flor (Barcelona).

**FORMACIÓN EXTRAACADÉMICA**
**2016** Grado medio de piano y flauta.
**2014** First Certificate.
**2013** Diploma de monitora de colonias.

**IDIOMAS E INFORMÁTICA**
**Español:** C2    **Catalán:** C2
**Inglés:** B1    **Francés:** nivel elemental oral

**OTROS DATOS DE INTERÉS**
Me encantan el teatro y los deportes de aventura.
Campeona nacional de natación en la categoría Junior.

---

## PARTES DE UN CURRÍCULUM

**DATOS PERSONALES**
Nacionalidad
Fecha de nacimiento
Lugar de nacimiento
Domicilio

EXPERIENCIA PROFESIONAL
**Experiencia como...**
**Prácticas en...**

TITULACIÓN ACADÉMICA
**Graduado en Educación Secundaria Obligatoria**
**Bachillerato**
**Grado**
**Máster**

FORMACIÓN EXTRAACADÉMICA
**Diplomas**
**Certificados**
**Cursos de formación de...**

IDIOMAS
**Nivel: A1, A2, B1, B2, C1, C2**
**Competencia oral**
**Competencia escrita**

## 4. La entrevista ▶ CE: 3 (p. 39)

 **A.** ¿Alguien de clase ha hecho alguna vez una entrevista de trabajo? Entre todos, pensad cosas a tener en cuenta para una entrevista.

 **B.** Lee estos consejos. ¿Coinciden con los que habéis dicho?

*Ir bien vestido.*

### CONSEJOS PARA REALIZAR UNA BUENA ENTREVISTA

**1.** Prepara la entrevista con otra persona y grábate. Un amigo puede ayudarte a simularla.

**2.** Busca información sobre la empresa ofertante.

**3.** Lleva tu CV contigo.

**4.** Sé tú mismo/-a, pero no resaltes tus puntos débiles.

**5.** Sonríe y controla tu expresión corporal. Recuerda que tu cuerpo dice tanto como tus palabras.

**6.** No tutees al entrevistador si no te lo propone.

**7.** No hables demasiado ni demasiado poco.

**8.** Muestra que te gustan los retos, que no tienes miedo a las nuevas situaciones.

**9.** Haz preguntas, muestra interés.

**10.** No temas a los errores; si te equivocas, intenta salir de la situación con humor.

**11.** No supliques que te den el empleo. Ellos te necesitan a ti y tú eres la persona indicada para este puesto. Créetelo.

 **C.** Busca las formas de imperativo del texto y escríbelas en una tabla como esta. Luego complétala con las formas que faltan.

 **D.** Vas a escuchar tres entrevistas de trabajo. Analiza qué hacen bien o no tan bien los candidatos y explica por qué.

Pistas 30-32

| Imperativo afirmativo singular | Imperativo negativo singular | Imperativo afirmativo plural | Imperativo negativo plural |
|---|---|---|---|
| prepara | no tutees | | |

## IMPERATIVO AFIRMATIVO Y NEGATIVO ▶ CE: 9 (p. 33)

| | SINGULAR | | PLURAL | |
|---|---|---|---|---|
| | afirmativo | negativo | afirmativo | negativo |
| TRABAJAR | trabaj**a** | no trabaj**es** | trabaj**ad** | no trabaj**éis** |
| TEMER | tem**e** | no tem**as** | tem**ed** | no tem**áis** |
| ESCRIBIR | escrib**e** | no escrib**as** | escrib**id** | no escrib**áis** |

**MINIPROYECTO**

Ahora escribe tu currículum. Después, en grupos de tres, intercambiadlos y daos consejos para mejorarlos.

## 5. Convocatorias ▶ CE: 12 (p. 35)

**A.** Lee las siguientes convocatorias. ¿Conoces iniciativas semejantes? ¿Sabes de alguien que se haya presentado a alguna convocatoria como estas?

*Mi hermano se presentó una vez a un concurso para elegir el mejor proyecto para...*

### FUNDACIÓN ANTONIO GALA PARA JÓVENES CREADORES

La Fundación Antonio Gala para Jóvenes Creadores hace pública la XV Convocatoria de plazas para estimular y promover la creación.

Esta fundación convoca anualmente las becas de alojamiento y manutención para jóvenes creadores de entre dieciocho y veinticinco años en lengua castellana. El objetivo fundamental de estas ayudas es formarlos en la idea de que todos puedan enriquecerse con la convivencia y que su trabajo esté presidido por la libertad. No hay profesores que dirijan su actividad, sino que se recibe eventualmente la visita de creadores ya consagrados que les orientan y aconsejan. Los jóvenes se reúnen al final de la jornada para explicar sus avances, sus dudas, compartir sus experiencias y enriquecerse recíprocamente. De esta forma, el escritor aprende del músico, el músico del escultor, el escultor del pintor y así sucesivamente.

**FUNDACIÓN ANTONIO GALA PARA JÓVENES CREADORES**

**Adaptado de:** www.fundacionantoniogala.org/convocatoria.html

**B.** Fíjate en los fragmentos resaltados en amarillo. ¿Entiendes por qué se usa el subjuntivo?

**C.** Ahora relaciona cada frase (A-D) con su explicación (1-4).

**A.** Busco a un chico que está estudiando informática.

**B.** Busco a un chico que esté estudiando informática.

**C.** Se premiarán los trabajos que muestren espíritu emprendedor.

**D.** Se premian los trabajos que muestran espíritu emprendedor.

### PROGRAMA DE LIDERAZGO PARA JÓVENES INDÍGENAS

La Universidad de las Américas Puebla (UDLAP) se complace en convocar a estudiantes mexicanos que pertenezcan a un pueblo indígena y que actualmente estén cursando la licenciatura o un programa de estudios a nivel técnico superior, para que participen en el Programa de Liderazgo para Jóvenes Indígenas UDLAP 2016, que tendrá lugar del 30 de mayo al 24 de junio.

El objetivo del programa es fortalecer las habilidades de jóvenes líderes con la finalidad de que puedan identificar las necesidades de sus lugares de origen, brindar soluciones a problemáticas y generar propuestas de política pública que puedan fomentar el desarrollo de sus comunidades.

Se buscan candidatos que hayan destacado por su desempeño académico, por participar en actividades extracurriculares y por su liderazgo, tanto en instituciones académicas como en sus comunidades.

El programa se financia con aportaciones del sector empresarial y del sector educativo. Gracias a estos apoyos, se otorgarán becas a los participantes que cubrirán los costes académicos, el alojamiento y el transporte.

**Adaptado de:** www.udlap.mx/liderazgo/convocatoria.aspx

**1.** Conozco a ese chico o sé que existe.

**2.** No conozco a ese chico y no sé si existe.

**3.** No sabemos si estos trabajos existen.

**4.** Sabemos que estos trabajos existen y cuáles son.

### EXPRESAR REQUISITOS: DESCRIBIR ▶ CE: 10 (p. 34)

FRASES DE RELATIVO CON INDICATIVO O SUBJUNTIVO

*Busco a una persona **que hable** inglés.*
(nos referimos a alguien cuya existencia desconocemos)
*Busco a una persona **que habla** inglés.*
(nos referimos a alguien cuya existencia conocemos)

### EXPRESAR FINALIDAD

▶ CE: 13 (p. 36)
**para** + infinitivo
*Me dirijo a ustedes **para** solicitar una beca.*

**para que** + subjuntivo
*Adjunto mi currículum **para que** vean mi experiencia.*

## 6. Cartas de motivación

▶ CE: 12 (p. 35), 14 (p. 36), 1 (p. 38), 2 (p. 39)

**A.** Lee este correo electrónico. ¿Crees que Juan Carlos es un candidato apropiado para las plazas que ofrece la Fundación Antonio Gala? ¿Por qué?

**De:** Juan Carlos Espinosa
**Para:** Fundación Antonio Gala
**Tema:** beca Jóvenes Creadores
Guayaquil, 4 de mayo de 2016

Apreciados señores:

Mi nombre es Juan Carlos Espinosa y soy un estudiante de Ecuador. Me dirijo a ustedes para solicitar una de las becas que ofrece su fundación. Tengo 18 años y recién terminé la secundaria. Quiero ser poeta y esta beca sería una oportunidad fantástica para ampliar mis experiencias vitales, así como para conocer Andalucía. No me puedo imaginar nada mejor que estudiar literatura en la tierra de Lorca, Alberti, Cernuda, Machado y, por supuesto, el gran Antonio Gala.

Soy una persona abierta, simpática, creativa y muy trabajadora. En seguida hago amigos y me encanta trabajar en grupo. Además de la literatura tengo pasión por la fotografía y los deportes, sobre todo el baloncesto. También hace tres años que estoy en un grupo de teatro. En este curso se dice que se une la literatura y el arte. Es una experiencia que me encantaría vivir.

Me apasiona la idea de trabajar conjuntamente con otros chicos y chicas y de realizar un proyecto común. Disfrutar de esta beca me daría la oportunidad de conocer a jóvenes de diferentes nacionalidades.

Les adjunto mi currículum para que vean mis cualificaciones y experiencia.

Espero su respuesta. Hasta entonces, me despido atentamente,

Juan Carlos Espinosa

**B.** Entre todos, pensad en becas que os gustaría que existieran y haced una lista.

- Estaría bien una beca para aprender a dibujar manga en Japón.
- ¡Sí, sería genial!

**C.** Elige una de las becas de la lista y escribe una carta de motivación.

### CARTA FORMAL: SOLICITUD DE UNA BECA

▶ CE: 14 (p. 36), 1 (p. 38)

| | |
|---|---|
| Saludo | **Muy señores míos:** |
| Motivo de la carta | *Me dirijo a ustedes* **para** *solicitar...* |
| Presentación | **Me llamo...** |
| Exposición de razones para ser seleccionado | *Soy..., **por eso...*** <br> **Me gustaría...** <br> *Sería una oportunidad para mí...* |
| Despedida | ***Un saludo muy cordial,*** <br> ***Me despido atentamente,*** |

**MINIPROYECTO**

Entrevista a un compañero para saber si es un candidato apropiado para la beca para la que ha escrito la carta. Después, intercambiaos los papeles.

## IMPERATIVO AFIRMATIVO Y NEGATIVO ▶ CE: 9 (p. 33)

La forma del imperativo singular (tú) se construye eliminado la **-s** de la forma de presente de indicativo.

*Tú cantas* → *cant**a***

La forma del imperativo plural (vosotros) se construye eliminado la **-r** del infinitivo, y añadiendo una **-d** en su lugar.

*Cantar* → *cant**ad***

Las formas del imperativo negativo son las mismas del presente del subjuntivo.

| | SINGULAR (tú) | | PLURAL (vosotros) | |
|---|---|---|---|---|
| | afirmativo | negativo | afirmativo | negativo |
| TRABAJAR | trabaj**a** | no trabaj**es** | trabaj**ad** | no trabaj**éis** |
| TEMER | tem**e** | no tem**as** | tem**ed** | no tem**áis** |
| ESCRIBIR | escrib**e** | no escrib**as** | escrib**id** | no escrib**áis** |

**1.** En la clase de unos amigos tuyos hay algunas personas conflictivas. Escribe una lista de consejos para que mejoren las relaciones entre ellos.

▶ Intentad trabajar en parejas en vez de en grupos. Las personas conflictivas suelen querer la atención del grupo.

▶ ...............................................................................

▶ ...............................................................................

▶ ...............................................................................

▶ ...............................................................................

## EXPRESAR REQUISITOS ▶ CE: 7 (p. 32), 10 (p. 34), 12 (p. 35)

Cuando queremos expresar requisitos (por ejemplo en un anuncio de una oferta de empleo), a menudo lo hacemos con frases relativas.

Si se trata de una descripción de algo o alguien <u>que no sabemos si existe</u>, se formula con subjuntivo:

*Busco a un candidato que **hable** bien ruso.*

| Se busca/n Se necesita/n Se requiere/n | candidato/s | **que** + subjuntivo **que hable/n** varios idiomas. |
|---|---|---|

En cambio, para referirnos a algo o alguien <u>que ya conocemos o del que ya sabemos su existencia</u>, se formula con indicativo:

*Conozco a un candidato que **habla** varios idiomas.*

**2.** Imagina qué dirías en las siguientes situaciones:

**a.** En la academia de español del barrio se ofrece un curso para niños, pero no hay suficientes profesores. Necesitan buscar a uno con un anuncio:
*Se buscan profesores que...*

**b.** Necesitas practicar más español porque en dos semanas tienes un examen oral. Pones un anuncio en el tablón del instituto:
*Se buscan nativos de... que...*

**c.** Has perdido una memoria USB en la clase de inglés. Escribes un anuncio describiéndola para intentar encontrarla:
*Se busca una memoria USB que...*

**d.** Ayer hiciste una entrevista de trabajo en una asociación para ser monitor en un campamento. Tu amigo busca ese tipo de trabajo y le dices:
*Conozco una asociación que...*

**e.** Quieres entregar un CV para un trabajo como ayudante en una guardería. Vas a la guardería que ofrece el trabajo pero no conoces a la persona encargada.
*Busco a alguien que...*

## VALORAR ▶ CE: 7 (p. 32), 10 (p. 34)

| Es preferible Es imprescindible Es necesario | **que** + subjuntivo **que tengan** espíritu crítico. infinitivo **tener** espíritu crítico. |
|---|---|

*Utilizamos el infinitivo cuando el hablante quiere generalizar.

**3.** Reescribe las frases siguientes empezando por la fórmula dada en cada caso.

**a.** Busco candidatos que hablen inglés.
*Es necesario...*

**b.** Se precisan jóvenes de 20 a 22 años. Abstenerse otras edades.
*Es imprescindible...*

**c.** Las empresas prefieren a gente con idiomas.
*Es preferible...*

# MENTALIDADES

➤ CE: 2 (p. 30), 3 (p. 31)

**4.** Lee la información acerca de dos tipos de mentalidad que existen cuando nos enfrentamos a los problemas. Elige las características que se corresponden a cada uno de ellos.

Evita tomar decisiones

Controla sus propias emociones

Comete errores y no los reconoce

Tiene capacidad de superación

Evita los nuevos retos

Tiene espíritu crítico

Toma decisiones

Se frustra y enfada consigo mismo

Tiene capacidad de trabajo, pero si fracasa no puede continuar

Es abierto de mente

Se enfrenta a los cambios positivamente

No le gusta el cambio

Es cerrado de mente

Se enfrenta a nuevos retos

**MENTALIDAD FIJA**
**SE NACE CON TALENTO**

Las personas de mentalidad fija quieren ser perfectas y si fracasan se desaniman.

**MENTALIDAD DE CRECIMIENTO**
**EL TALENTO SE HACE**

Las personas con mentalidad de crecimiento quieren aprender y mejorar, y ven los fracasos como una oportunidad de aprender.

## CARTA FORMAL: SOLICITUD DE UNA BECA

➤ CE: 14 (p. 36), 1 (p. 38)

| | |
|---|---|
| Saludo | *Estimados Sres.:* <br> *Estimado Sr. López:* <br> *Estimada Sra. López:* <br> *Muy señores míos:* |
| Motivo de la carta | *Me dirijo a ustedes para solicitar...* <br> *Les remito esta carta para...* |
| Presentación | *Me llamo...* <br> *Permítanme presentarme. Mi nombre es...* |
| Exposición de razones para ser seleccionado | *Soy..., por eso...* <br> *Me gustaría...* <br> *Sería una oportunidad para mí...* |
| Despedida | *Un saludo muy cordial,* <br> *Reciba un cordial saludo.* <br> *Atentamente,* |

**5.** Ordena en párrafos las frases de la siguiente carta formal.

**a.** Me dirijo a ustedes porque he leído su anuncio en el periódico en el que se solicita un traductor de videojuegos y estoy muy interesado en el puesto.

**b.** Estimados Sres.:

**c.** Mi nombre es Raúl Lacosta y tengo 23 años. Este año he acabado mis estudios en diseño de videojuegos y he realizado prácticas en empresas del sector, como verán en el CV que adjunto.

**d.** Raúl Lacosta

**e.** así que siempre mantengo excelentes relaciones con todos mis compañeros cuando estoy encargado de una tarea.

**f.** Soy una persona con una gran capacidad de trabajo, considero que la labor de crear un videojuego es una labor de equipo,

**g.** Sin otro particular, y esperando que tengan en consideración mi candidatura, reciban un cordial saludo,

# EL CANDIDATO

**D. Carlos:** Bueno... pase... pase, por acá... bien, siéntese allí... No, en ese sillón no, ese lo uso yo. Siéntese en esa silla. *(Aire descortés siempre.)*

**Jorge:** Gracias.

**D. Carlos:** ¿Qué me agradece...?

**Jorge:** Y... la silla...

**D. Carlos:** *(Desabrido.)* ¿Y por eso "gracias"? No se la regalo, solo le digo que se siente.

**Jorge:** Bueno... desde luego... ejem... yo no presumía que me regalara ninguna silla y...

**D. Carlos:** ¡Bueno! Si vamos a estar acá hablando de sillas y qué sé yo... ¿No le parece que perdemos tiempo...? Soy un hombre muy ocupado y... ¿entiende?

**Jorge:** Bien... me he atrevido a venir a esta casa...

**D. Carlos:** *(Descortés siempre.)* ¡Sin preámbulos, sin preámbulos, por favor!

**Jorge:** Bueno. Se trata de su hija.

**D. Carlos:** ¿Sí...? ¿Y qué...? ¿O me va a venir a contar que tengo una hija? Ya lo sé. Lo sé desde hace 17 años y unos meses. ¿Y bien...? ¿Qué hay con ella...?

**Jorge:** Pues pasa que... bueno. Creemos que nos queremos y...

**D. Carlos:** ¿Ustedes creen...? ¿Y bien...? ¿Qué quiere...? ¿Que le saque yo de la duda?

**Jorge:** ¡Es que no hay ninguna duda!

**D. Carlos:** ¿Y por qué dice que creen que se quieren?

**Jorge:** Es que... usted, con su actitud... ¡le confunde a uno, señor!

**D. Carlos:** ¿Mi actitud? Es la normal... soy el dueño de la casa, ¿no?

**Jorge:** Sí, desde luego... Pero... *(Un poco picado ya.)* ¡No le costaría mucho ser un poco más cortés...!

**D. Carlos:** Si me ha pedido una entrevista para darme lecciones de urbanidad...

**Jorge:** *(Molesto.)* ¡No es para eso!

**D. Carlos:** Haga el favor de no levantar el tono de voz...

**Jorge:** Perdone... yo solo...

**D. Carlos:** ¡Vamos, vamos, vamos, al grano...!

**Jorge:** ¡Vengo a pedirle permiso para visitar a su hija, como pretendiente!

**D. Carlos:** ¿Ah sí...? ¡Hummmmmmmm! [...] ¿Trabajo...?

**Jorge:** ¡Sí... soy dibujante...!

**D. Carlos:** Ah... ¡Dibujante! ¿Es usted el que dibuja esos monitos idiotas que salen en las revistas...?

**Jorge:** *(Picado.)* ¡No, señor! Soy dibujante de planos... ¡Me gano la vida copiando planos...!

**D. Carlos:** Malo, malo... el que se pasa la vida copiando el trabajo de otros no tiene ningún mérito... ¡Es una forma de ser haragán...!

**Jorge:** *(Ofendido.)* ¡Pero señor!

**D. Carlos:** Déjese de... ¿Estudia...?

**Jorge:** ¡Tercer año de ingeniería!

**D. Carlos:** ¡Vaya carrera que eligió...! [...]

**Jorge:** Tengo el orgullo de ser lo que soy. Hijo de campesina humilde, 23 años. Me pago mis estudios, no como bien y me visto peor. Jamás fui preso ni mentí a nadie. Y tengo eso que muchos no tienen... ¡a pesar de su edad!: ¡respeto a sí mismo!

**D. Carlos:** Un momento, jovencito... Antes de irse, sépalo bien. ¡Le prohíbo terminantemente que se vea con mi hija...!

**Jorge:** Ah... no. Ahí está equivocado, señor. Mis sentimientos son rectos y sanos. Tratarla no hará daño a nadie, salvo a un padre egoísta. Así que... sáquese de la cabeza eso... y otra vez... ¡Buenas tardes!

**D. Carlos:** ¿La seguirá viendo?

**Jorge:** Sí, señor. La seguiré viendo. Por dignidad y por cariño hacia ella. Y, por favor, no repita eso de que me prohíbe, porque... me dolería mandarlo al demonio... al padre de la chica que quiero... ¡Adiós, señor... lamento mucho haberle quitado su precioso tiempo!

**D. Carlos:** *(Ahora súbitamente cordial.)* Che ra'y...[1] vení[2] acá...

**Jorge:** ¿Quéee...?

**D. Carlos:** Sentate[3] ahí...

**Jorge:** Pero... ¿qué pasa...?

**D. Carlos:** Pasa que... bueno, soy papá... ¿no? Y mi nena se ha enamorado... y me preocupaba... quería estar seguro si el hombre la merecía, nada más... [...]

**Jorge:** Y... ¿pasé el examen...?

**D. Carlos:** ¡Claro...! Carácter... dignidad... conciencia de la nobleza de los sentimientos... ¡y coraje...! [...]

**Jorge:** ¿Entonces...?

**D. Carlos:** Por ahora... los martes, jueves y sábados... de 7 a 9 de la noche, ¿eh? Ni un minuto más, ni un minuto menos... ¡Ah... y en la sala...! Con las luces encendidas, ¿eh?... ¡Con las luces encendidas...! Je, je, je.

## Glosario

1. Che ra'y...: significa "hijo mío" en guaraní.
2 y 3: segunda persona del singular del imperativo en algunas variantes dialectales de Latinoamérica.

**Mario Halley Mora** (1926 - 2003). Periodista, narrador, poeta y guionista de las primeras historietas paraguayas en guaraní o bilingües, fue también el dramaturgo paraguayo más prolífico del siglo XX, con más de quince obras teatrales publicadas y unas cincuenta estrenadas. Fue especialmente conocido por sus cuentos y microrrelatos.

# Diez cosas que nunca debes hacer en una entrevista de trabajo

**01** **Ser pesimista.** Deja a un lado las actitudes extremadamente críticas. Piensa y exprésate en positivo.

**02** **Mostrar inquietud.** Si sueles ponerte nervioso, pon en práctica las técnicas que mejor te funcionen para controlar tu nivel de tensión.

**03** **Criticar a los demás.** Si hablas mal de otras personas puede ser señal de que no sabes trabajar en equipo.

**04** **No prepararte.** Hay que tener preparadas respuestas para posibles preguntas tipo y estar muy atento al desarrollo de la entrevista, ya que en ocasiones te preguntarán lo mismo varias veces de diferentes formas. Ten claros tus planteamientos.

**05** **Quitar la palabra.** Espera a que el entrevistador finalice de plantear la pregunta o sus argumentos. Interrumpir a tu interlocutor es señal de no saber escuchar, lo que denota poca profesionalidad.

**06** **Dispersarte.** Tienes que ser directo, claro y conciso, y evitar entrar muy al detalle en los temas que se traten, aunque seas un experto en la materia. Ten en cuenta que el entrevistador normalmente tiene previsto un tiempo de duración para la entrevista.

**07** **Mentir.** Contar aspectos sobre tu currículum, experiencia laboral, conocimientos o habilidades que no correspondan con la realidad acaba siendo contraproducente, ya que estás creando falsas expectativas.

**08** **Utilizar palabras vulgares.** Cuida tu lenguaje, ya que también denota educación y profesionalidad.

**09** **Adoptar una mala postura.** Sentarte excesivamente reclinado, estirar las piernas o estirar los brazos, colocar las manos en la nuca, etcétera, puede dar mala imagen. Ensaya en casa posturas formales y adecuadas con las que te sientas cómodo.

**10** **Llegar tarde.** Jamás llegues tarde a una entrevista de trabajo.

**Fuente:** adaptado de http://ignaciosantiago.com/blog/infografia/comunicacion-no-verbal-en-una-entrevista-de-trabajo-infografia-parte-3/

## VÍDEO

## La entrevista

Daniel Ortiz y Javier Díaz nos presentan esta visión irónica sobre una entrevista de trabajo.

## SE BUSCAN CANDIDATOS
### VAMOS A SELECCIONAR CANDIDATOS PARA UN PROYECTO SOCIAL.

### ¿QUÉ NECESITAMOS?

**En papel**
- ✔ Hojas de papel
- ✔ Material para escribir

**Con ordenador**
- ✔ Un programa para crear presentaciones
- ✔ Papel e impresora si vais a colgar el anuncio en el aula

**A.** En grupos, vais a elegir uno de los siguientes proyectos y a escoger a las personas que van a trabajar en él. Si lo preferís, podéis inventar otro.

- ▶ Un equipo de monitores y monitoras va a realizar una campaña contra el acoso escolar en centros educativos.
- ▶ En vuestro barrio, el Ayuntamiento quiere acercar las diferentes generaciones. Se buscan jóvenes para acompañar a personas ancianas.
- ▶ Los alumnos mayores de la escuela van a organizar las actividades extraescolares de deporte para los más pequeños.
- ▶ Un grupo va a crear un proyecto para hacer de vuestro centro educativo un lugar más ecológico y sostenible.

**B.** Pasos a seguir:

- ▶ redactad los requisitos para los candidatos de vuestro proyecto (puede ser una lista)
- ▶ escribid el anuncio y colgadlo en vuestro blog o en la clase
- ▶ individualmente, elegid un proyecto y escribid vuestra carta de presentación
- ▶ en grupos, leed las cartas y elegid a un candidato

## COMPRENSIÓN LECTORA

**1.** Lee esta carta de motivación y contesta a las preguntas.

Me llamo Fatoumata y soy de Guinea, pero vivo en España con mi familia desde hace cuatro años. Tengo 18 años y estoy estudiando el primer curso de Medicina en la Universidad de Granada. Quiero ser médica y luego volver a mi país para trabajar en un hospital allí y ayudar, así, a mis compatriotas en África. Hablo español, francés, inglés, fulah (mi lengua materna), susho, malinke y un poco de árabe. Me gusta la música, el teatro y leer. Soy miembro de la Cruz Roja de la ciudad en la que vivo (Baza) y doy cursos de natación y socorrismo a los chicos y las chicas más jóvenes que yo. Y como me gusta mucho el teatro, soy miembro activo de PayaSOSpital y organizo actividades para los pequeños que están ingresados en el hospital pediátrico de Granada.

Hago bastante deporte: natación, submarinismo y atletismo.

Me gustaría mucho participar en el programa Jóvenes Exploradores para Cambiar el Mundo. Creo que puedo aprender mucho y aportar también mucho. ¡Sería un sueño para mí!

Aquí tienen mi videoblog y mi correo electrónico.

**a.** ¿Cuánto tiempo hace que vive en España?
**b.** ¿Cuál es su objetivo después de los estudios?
**c.** ¿Qué lenguas habla?
**d.** ¿Qué actividades realiza en su tiempo libre?

## EXPRESIÓN ORAL

**2.** Preséntate a tus compañeros y descríbeles en qué tipo de proyecto, convocatoria o trabajo te gustaría participar y por qué.

## COMPRENSIÓN ORAL

Pistas 33-34

**3.** Escucha las presentaciones de dos candidatos para un trabajo de monitor de niños y rellena las fichas.

| | |
|---|---|
| Nombre | Nombre |
| Nacionalidad | Nacionalidad |
| Edad | Edad |
| Carácter | Carácter |
| Aficiones | Aficiones |
| Experiencia | Experiencia |
| Otros | Otros |

## EXPRESIÓN ESCRITA

**4.** Por parejas, escribid una convocatoria para un trabajo para jóvenes. No olvidéis incluir las características del trabajo, los requisitos y las formas de contactar con los ofertantes y de enviarles los documentos necesarios.

## INTERACCIÓN ORAL

**5.** Por parejas, preparad y llevad a cabo una pequeña entrevista para alguno de los siguientes trabajos:

▸ Monitor de tiempo libre en un campamento de inglés en la costa.
▸ Dependiente de un puesto en un mercado solidario.

# unidad 4
# CUÉNTAME UN CUENTO

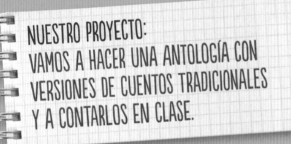

NUESTRO PROYECTO:
VAMOS A HACER UNA ANTOLOGÍA CON
VERSIONES DE CUENTOS TRADICIONALES
Y A CONTARLOS EN CLASE.

## VAMOS A...

leer y reconocer las partes de un cuento y las características de los personajes clásicos de los cuentos;

reescribir cuentos tradicionales adaptándolos a las características de nuestra realidad;

narrar historias y leyendas clásicas, relacionando sus partes en el tiempo, y a transmitir la información dicha por los personajes de los cuentos;

escuchar un cuento tradicional, una leyenda guaraní y una leyenda española;

contar un cuento de nuestra antología de forma colectiva;

ver un vídeo en el que se nos explica la leyenda del dios Huitzilopochtli.

## VAMOS A APRENDER...

- el estilo directo y el estilo indirecto;
- el pretérito pluscuamperfecto;
- el pretérito imperfecto de subjuntivo para expresar órdenes, peticiones y deseos de otros;
- las correspondencias de los tiempos al cambiar de estilo directo a indirecto;
- los conectores discursivos adecuados para los relatos (**al cabo de un mes**, **tiempo después...**).

Miriam Latimer • Ingeniería en papel. Sam Ita

CUENTO RECORTA...

**B**

| | |
|---|---|
| **1** | Aladino y la lámpara maravillosa |
| **2** | Ali-Babá y los cuarenta ladrones |
| **3** | Blancanieves |
| **4** | El flautista de Hamelín |
| **5** | El gato con botas |
| **6** | El soldadito de plomo |
| **7** | La Bella Durmiente del bosque |
| **8** | La casita de chocolate |
| **9** | Caperucita Roja |
| **10** | Cenicienta |
| **11** | La ratita presumida |
| **12** | Pulgarcito |

**E**

**F**

**G**

**H**

## Colorín, colorado...

**1.** Relaciona cada portada con su título correspondiente. ¡Ojo!, hay más títulos que portadas.

**2.** ¿Conoces estos cuentos? ¿Son también conocidos en tu país? ¿Qué otros cuentos infantiles son populares?

## 1. Érase una vez... ► CE: 7 (p. 46)

En parejas, responded a estas preguntas.

▸ ¿Cuál es vuestro cuento preferido?
▸ ¿Podríais hacer una lista de cinco personajes "buenos" y cinco "malos" de los cuentos que conocéis?
▸ ¿Sabéis cómo empiezan los cuentos en español? ¿Y en vuestra lengua? ¿Y cómo terminan?


¿SABES QUE...?

**CUENTO**
El cuento es una narración breve de hechos imaginarios.

**CUENTOS POPULARES:**
• Son muy antiguos y provienen de la tradición oral.
• Suelen ser anónimos, pero hubo autores que los recopilaron: Perrault, Andersen, los hermanos Grimm...
• Contienen una moraleja: un mensaje que quiere ser una lección moral para el que escucha o lee el cuento.

## 2. Continuará ► CE: 2 (p. 42), 2 (p. 49)

**A.** Fíjate en el texto de introducción: "Su madre le preguntaba cada día por qué no iba vestida como las niñas de su edad, y ella siempre respondía que no le gustaba."

**ESTILO INDIRECTO** ► CE: 2 (p. 42), 2 (p. 49)
TRANSMITIR INFORMACIÓN, PETICIONES Y PREGUNTAS
*Caperucita respondió: "**He hecho** mermelada para **mi** abuela, que **está** enferma".*
*Caperucita respondió que **había hecho** mermelada para **su** abuela, que **estaba** enferma.*

*El lobo le preguntó: "¿**Vas** sola a casa de **tu** abuela?"*
*El lobo le preguntó si **iba** sola a casa de **su** abuela.*

**CAMBIOS EN TIEMPOS VERBALES** ► CE: 2 (p. 42)
presente → pretérito imperfecto
futuro → condicional
pretérito indefinido → pretérito pluscuamperfecto

VERBOS HABITUALES PARA TRANSMITIR INFORMACIÓN

| | |
|---|---|
| decir | contar |
| pedir | explicar |
| preguntar | contestar |
| comentar | advertir (de que) |

**B.** Compara la frase de la introducción con el diálogo correspondiente del cómic. ¿Qué tiempos verbales y palabras han cambiado?

**C.** Ahora transforma las viñetas con diálogos en estilo indirecto.

*Cuando el padre le preguntaba qué había cocinado, Nuria respondía que una receta de la abuela.*

## 3. Cuentos de ahora y de antes ▶ CE: 7 (p. 46), 1 (p. 47)

**A.** Anota las diferencias que hay entre el cuento de Caperucita Roja y el cómic sobre Nuria. Por ejemplo: cómo son los lugares, cómo es el carácter de los personajes (Caperucita, la abuela, los padres, el lobo).

**B.** ¿Cuáles son las características típicas de las mujeres y las niñas en los cuentos tradicionales? ¿Y las de los hombres y los niños? ¿Responden a la realidad? Coméntalo con un compañero.

**PRETÉRITO PLUSCUAMPERFECTO**

Está formado por el imperfecto del verbo **haber** + participio.
Sirve para marcar que una acción es anterior a otra acción pasada.

● *¡Hola, Isabel! Qué bien, me **dijeron** que **habías venido**.*
○ *Sí, llevo aquí desde el martes.*
　　　　　　　　　2ª acción　　1ª acción

**MINIPROYECTO**

En parejas, inventad un final para el cuento de Nuria, su abuela y el lobo. Escribidlo usando el estilo indirecto.

## 4. La leyenda de la calavera

**A.** ¿Sabes qué es una leyenda? ¿Conoces alguna leyenda de tu país? Discútelo con un compañero.

**B.** Lee esta leyenda mexicana y responde a las preguntas.

▸ ¿Quién es el protagonista de la leyenda?
▸ ¿De quién era la calavera y qué hacía allí?
▸ ¿Cuál fue la reacción del padre Higuera?

Cuentan los ancianos que hubo un sacerdote en el convento de San Bernardino cuyo apellido era Higuera; se dice que este sacerdote olvidaba muchas veces sus obligaciones y por las noches llevaba una vida mundana. Recorría las calles visitando lugares no adecuados para una persona que tenía que dar ejemplo de religiosidad. El recorrido empezaba en la calle de las Estacadas y continuaba por Becerra y Tanco. Seguía por la actual carretera Nacional, subiendo después por la calle de Santa Ana.

Una vez, unos vecinos fueron a verle y le contaron que, varias noches, en las calles de Becerra y Tanco habían visto una calavera.

El sacerdote, intrigado por la noticia, les recomendó que no se asustaran, que él más tarde iría al lugar de los hechos a comprobar la veracidad de estos. Esa misma noche, emprendió su recorrido habitual y, al llegar a las calles Tanco y Becerra, esperó pacientemente. Pasado un buen rato, vio la aparición de la calavera.

El padre Higuera, temeroso, le dijo:

—Espíritu, seas por el bien o seas por el mal, este no es tu lugar. Dime, ¿qué buscas en estas calles que son dominio de Dios?

La calavera le contestó que era la calavera del padre Higuera y que estaba condenado a sufrir aquel castigo por todas la cosas que había hecho mal en su vida. Después de esto, desapareció.

El padre Higuera, asustado, se encerró en el convento y se volvió un buen sacerdote para el resto de sus días.

*(Leyenda mexicana)*

**C.** Observa estas frases y responde.

"Una vez, unos feligreses fueron a verle y le **contaron** que, varias noches, en las calles de Becerra y Tanco **habían visto** una calavera."
"**Estaba** condenado por todas las cosas que **había hecho** mal en su vida."

▸ ¿Cómo se llaman los tiempos verbales que están en negrita?
▸ Fíjate en los tiempos verbales en negrita y di qué acción es la primera y qué acción es la segunda cronológicamente.

**NARRAR EN PASADO** ▸ CE: 4 (p. 43), 5 (p. 44), 6 (p. 45)
PRETÉRITO INDEFINIDO / IMPERFECTO
*El padre Higuera vio la aparición de la calavera.*
  Acción terminada en aquel momento. Hace avanzar la historia.
*Le dijo: ¿Qué buscas en estas calles?*
  Acción terminada en aquel momento. Sigue la acción.

*La calavera le contestó que era la calavera del padre Higuera y que estaba condenado a sufrir.*
  Acción no terminada en ese momento, descripción del pasado. Hace que se detenga la historia y veamos lo que sucede alrededor de los acontecimientos.

¡SOY LA CALAVERA DEL PADRE HIGUERAAAA!

## 5. Las luciérnagas

**A.** ¿Sabes qué es una luciérnaga? ¿Cómo se llama en tu lengua? ¿Sabes si en tu país hay alguna leyenda asociada con este insecto?

**B.** Lee esta leyenda guaraní y complétala, colocando en el texto de la derecha las siguientes frases.

1. había hecho para recibir este castigo tan injusto.
2. había cazado mucho en la selva.
3. habían hecho sus enemigos.
4. Isondú se había liberado de sus enemigos y había recuperado su libertad.

**C.** Ahora, escucha el texto y comprueba si lo has hecho bien.

Pista 35

**D.** ¿Te ha gustado la leyenda? ¿Qué crees que intenta explicar? ¿Qué sentimiento mueve a los hombres de la aldea a preparar una trampa para Isondú? ¿Crees que es una razón para actuar? Coméntalo con tu compañero.

## 6. Leyendas de mi país

¿Qué leyendas existen en vuestra cultura? Habla con tu compañero, haced una pequeña lista. Contad a la clase las que los demás no conozcan.

---

### LA LEYENDA DE ISONDÚ

Isondú era el hombre más hermoso de todos los guaraníes. El más alto, el más fuerte, el más hábil. Todas las muchachas querían casarse con él. Esto despertó la envidia de los demás hombres. Por eso se reunieron para ponerse de acuerdo y prepararle una trampa como las que hacían para cazar animales.

Un atardecer Isondú volvía a su aldea. Iba solo y contento porque **(a)** ....................................................... De pronto, tropezó con unas lianas y cayó en el pozo que **(b)** ....................................................... Estos salieron en seguida de sus escondites y empezaron a reírse y a burlarse de él:

–¡Isondú! ¡Isondú! ¡Te cazamos como a un tapir!

–A ver, ¿de qué te sirve ahora ser tan valiente?

Empezaron a atacarle y a pegarle. El cuerpo de Isondú se llenó de heridas. El pobre Isondú no podía salir del pozo y sufría porque no podía defenderse y además no sabía qué **(c)** .......................................................

Se hizo de noche. Entonces los hombres vieron que en cada herida del cuerpo de Isondú se encendía una lucecita que salía volando por encima de ellos. Un momento después, centenares de Isondúes pequeñitos volaban por toda la selva, iluminando intermitentemente la noche. **(d)** .......................................................

Muchos de estos insectos cruzaron los ríos, dejaron atrás la selva y se perdieron en el campo. En Argentina, a estos insectos, algunos los llaman "isondúes", otros los llaman "bichos de luz", otros, "tuquitos" y otros, "luciérnagas". En las noches más oscuras vuelan a nuestro alrededor y, cuando creemos que se han ido, se encienden otra vez unos metros más allá, como estrellas terrenales.

*(Leyenda guaraní. Argentina)*

---

**¿SABES QUE...?**

Los guaraníes, o *guachimis* o *avá*, son un grupo de pueblos indígenas sudamericanos que se ubican geográficamente en Paraguay, noreste de Argentina, sur y suroeste de Brasil y sureste de Bolivia. Se cree que existen unos 2 millones de guaraníes. Su lengua es el guaraní, que en Paraguay es cooficial con el español.

---

### ALGUNAS LEYENDAS DE LATINOAMÉRICA

1. Bolivia: *El guajojo*
2. Chile: *El basilisco*
3. Colombia: *La candileja*
4. Ecuador: *El tesoro de Atahualpa*
5. México: *La llorona*
6. Perú: *El ekeko*

### MINIPROYECTO

¿Conoces alguna de estas leyendas? Investiga sobre ellas. ¿Cuál es la que más te gusta? ¿Por qué? Cuéntasela a tus compañeros.

## 7. Había una vez un rey...

**A.** Leed este cuento en grupos de tres. Cada uno debe leer una parte y explicarla al resto del grupo. Entre todos reconstruiréis el cuento. Recordad que no hay que leer en voz alta, sino resumir.

**B.** ¿Cómo crees que termina el cuento? Escúchalo y compruébalo.

Pista 36

**C.** ¿Cuál es la moraleja del cuento? ¿Te parece que sigue siendo válida en la actualidad? Comentadlo en el aula.

● A mí me parece que no porque...
○ Yo creo que sí porque...

**H**abía una vez un rey al que le gustaba mucho vestirse. Un día, tres estafadores[1] fueron a palacio diciendo que eran excelentes tejedores[2], y le contaron que sabían hacer una tela[3] mágica que solo podían ver aquellos que eran hijos de su verdadero padre. Al rey le pareció muy bien y ordenó que se les **diera** una sala grande para que fabricaran aquella tela. Los estafadores dijeron que se encerrarían en aquel salón hasta que terminaran su trabajo. Esto también gustó mucho al rey, que les dio oro, y plata, y seda, y cuanto era necesario para tejer[4].

Los estafadores simulaban estar muchas horas tejiendo una tela que no existía. Pasados varios días, uno de ellos fue a avisar al rey de que ya habían terminado la tela y que era muy hermosa; y le pidió que **fuera** a verla él solo, sin ninguna compañía. El rey estaba muy contento.

[1] Personas que engañan, dicen mentiras, adoptan una falsa personalidad para sacar dinero de los demás.
[2] Personas que tejen y fabrican telas y ropas.
[3] Tejido, ropa.
[4] Fabricar telas.

---

**ESTRUCTURA DEL CUENTO**

▶ CE: 1 (p. 50)
INTRODUCCIÓN
*Había una vez/Érase una vez...*

NUDO
*Un día,.../Y entonces...*

DESENLACE
*Y así fue como... / Y de ese modo, ....*

FINAL
*Y así es como termina...*

**CONECTORES DISCURSIVOS**

▶ CE: 3 (p. 42), 5 (p. 44), 6 (p. 45)
RELACIONAR MOMENTOS DEL PASADO
*Pasados varios días, uno de ellos avisó al rey.*
*Al cabo de un mes, los tejedores terminaron.*
*Tiempo después, el rey quiso vestir su traje.*

**al** + infinitivo
*Al oír esto, toda la gente se sorprendió.*

**EL PRETÉRITO IMPERFECTO DE SUBJUNTIVO**

En el estilo indirecto, usamos el **pasado del subjuntivo** para transmitir las **órdenes, peticiones y deseos** de otros.

*Ordenó que se les **diera** una sala grande.*
*Le pidió que **fuera** a verla él solo.*
*Le pidió que le **dijera** la verdad.*
*Pidieron al rey que **vistiera** aquellas ropas.*

Sin embargo, el rey, antes de ir él solo a ver la tela como le pedían los tejedores envió a un criado suyo, y le pidió que le **dijera** la verdad sobre el trabajo de los tres individuos. Cuando el servidor vio a los tejedores y les oyó comentar entre ellos las virtudes de la tela, no se atrevió a decir que no la veía, pues tuvo miedo de que se pensaran que no era hijo de su padre. Y así, cuando volvió a palacio, dijo al rey que había visto la tela y que era preciosa. El rey mandó después a otro servidor, que también afirmó lo mismo.

Cuando todos los enviados del rey le aseguraron haber visto la tela, el rey fue a verla. Entró en la sala y vio a los falsos tejedores hacer como si trabajaran mientras le decían: «Mirad esta labor. Mirad el dibujo y la variedad de los colores». Y la verdad es que no habían tejido ninguna tela. Cuando el rey los vio tejer y decir cómo era la tela que otros ya habían visto, se preocupó muchísimo, pues pensó que él no la veía porque no era hijo del rey, su padre, y por eso no podía verla, y temió que, si lo decía, perdería el reino. A causa de ese temor, dijo que la tela era muy bonita y la alabó [5] mucho. Cuando volvió a palacio comentó a sus cortesanos las excelencias de aquella tela y les explicó los dibujos e historias que había en ella, pero les ocultó todas sus sospechas.

(5) Decir que una cosa es muy buena o bonita.

A los pocos días, el rey envió a su gobernador a ver la tela maravillosa. Antes le había contado las excelencias que tenía el fantástico tejido. El gobernador llegó al lugar en donde estaban los falsos tejedores y no vio nada. Pero como recordaba que el rey sí que había visto la tela, temió no ser hijo de quien creía su padre y pensó que perdería su cargo [6]. Con este miedo, también dijo que la tela era extraordinaria.

De esta manera, los estafadores engañaron al rey y a todos sus vasallos, pues ninguno se atrevía a decir que no veía la tela. Así siguió este asunto hasta que llegaron las fiestas y pidieron al rey que **vistiera** aquellas ropas para la ocasión. Los tres estafadores trajeron la tela envuelta en una sábana de lino, hicieron como si la desenvolvieran y, después, preguntaron al rey qué clase de vestidura deseaba. El rey se lo indicó, ellos tomaron medidas y, después, hicieron como si cortaran la tela y la estuvieran cosiendo.

Cuando llegó el día de la fiesta, los tejedores le trajeron al rey la tela invisible cortada y cosida, haciéndole creer que lo vestían. Al terminar, el rey pensó que ya estaba vestido, sin atreverse a decir que él no veía nada. Y vestido de esta forma, es decir, totalmente desnudo, montó a caballo para recorrer la ciudad. Todas las gentes lo vieron desnudo y, como sabían que el que no viera la tela era por no ser hijo de su padre, creyendo cada uno que, aunque él no la veía, los demás sí, por miedo, permanecieron callados y ninguno se atrevió a descubrir aquel secreto.

(6) Empleo en la Administración.

Fragmento adaptado de "De lo que aconteció a un rey con los burladores que fizieron paño", en: *El Conde Lucanor*. **Infante Don Juan Manuel**, 1335.

## PERSONAJES DE CUENTOS TRADICIONALES

 los niños: curiosos

 el cazador: salvador

 la bruja: malvada

 el fantasma: terrorífico

 el lobo: feroz

 el príncipe: valiente

 la princesa: hermosa

 el dragón: temible

 la muerte: aterradora

 la abuela: bondadosa

**MINIPROYECTO**

Observa las siluetas. Pertenecen a personajes de cuentos tradicionales. ¿Existen personajes de este tipo en tu cultura? Piensa en un cuento fantástico y cuéntaselo a tu compañero.

## IMPERFECTO O INDEFINIDO

**1.** Marca la opción correcta.

**1.** Al llegar a las calles Tanco y Becerra, esperó pacientemente. Pasado un buen rato, **veía / vio** la aparición de la calavera.

**2.** El padre Higuera, temeroso, le **decía / dijo**: ¿qué buscas en estas calles?

**3.** La calavera le **contestaba / contestó** que **era / fue** la calavera del padre Higuera y que **estaba / estuvo** condenado a sufrir aquel castigo.

**4.** Después de esto, **desaparecía / desapareció**.

### NARRAR EN PASADO ▶ CE: 4 (p. 43), 1 (p. 48), 1 (p. 50)

**PRETÉRITO INDEFINIDO / IMPERFECTO**
Cuando hablamos de acontecimientos que ocurrieron en el pasado, podemos usar el **pretérito indefinido** y el **pretérito imperfecto**.

**PRETÉRITO INDEFINIDO**
Acciones terminadas en aquel momento. Hacen avanzar la historia.
*Aquel día **salió** de casa temprano.*

**PRETÉRITO IMPERFECTO**
Acciones no terminadas en ese momento, descripciones del pasado. Hacen que se detenga la historia y veamos lo que sucede alrededor de los acontecimientos.
***Hacía** frío y **llovía**.*

**PRETÉRITO PLUSCUAMPERFECTO**
Utilizamos el pretérito pluscuamperfecto para marcar que una acción pasada ha ocurrido antes de otra ya mencionada.

| | IMPERFECTO DE HABER + PARTICIPIO | |
|---|---|---|
| (yo) | había | |
| (tú) | habías | preguntado |
| (él / ella) | había | ido |
| (nosotros/-as) | habíamos | explicado |
| (vosotros/-as) | habíais | ... |
| (ellos / ellas) | habían | |

*Recuerda que hay participios irregulares (**hecho, dicho, visto**...).

**SITUAR DOS ACCIONES EN EL PASADO:**
*Cuando Caperucita **llegó** al restaurante, el Lobo ya **había entrado**.*
└─ a las 18:00 h     └─ a las 17:00 h

**2.** Lee estas frases e indica si las acciones en negrita son anteriores o posteriores a las acciones subrayadas.

**a.** Cuando la madre de Nuria **habló** con ella, su padre ya <u>había salido</u> de casa. .........................................

**b.** El padre de Nuria <u>no estaba</u> en casa porque **se había ido** a comprar. .........................................

**c.** Cuando Nuria <u>decidió</u> irse a la ciudad su padre todavía no **había vuelto**. .........................................

**d.** Nuria <u>llegó</u> al barrio de su abuela pronto porque **había cogido** el metro. .........................................

**e.** La abuela no <u>había llegado</u> al restaurante cuando el lobo **habló** con Nuria. .........................................

## CONECTORES DISCURSIVOS ▶ CE: 5 (p. 44), 6 (p. 45), 1 (p. 50)

**INTRODUCCIÓN (EN LOS CUENTOS)**
*Había una vez*, hace muchos años...
*Érase una vez*, ...

**RELACIONAR MOMENTOS DEL PASADO**
*Una vez, ... / Un día, ...*
*Y entonces... / Y en ese momento...*
*Y de ese modo... / Y así fue como...*
*Pasados varios días, ... / Al día siguiente, ... / Al cabo de un mes, ...*

**AL + INFINITIVO**
Indica un momento en el pasado en referencia a una acción.
*Al terminar...*
*Al llegar...*

**FINAL (EN LOS CUENTOS)**
*Y así se acaba este cuento.*
*Y colorín, colorado, este cuento se ha acabado.*
*Y vivieron felices y comieron perdices.*

**3.** Completa la historia con los siguientes marcadores temporales.

Aquella noche | y al | Por esa razón | Pero, al | Había una vez, | Al cabo de | Al día siguiente

**a.** ............................................ un amable y simpático carpintero que se llamaba Geppetto. Estaba muy contento porque había construido un bonito muñeco de madera. Geppetto lo llamó Pinocho.

**b.** ............................................ Geppetto se fue a dormir contento con su creación y soñó que el muñeco se convertía en un niño. Siempre había deseado tener un hijo.

**c.** Un hada pasó por la carpintería ............................................ ver a Pinocho, decidió dar vida al muñeco con su varita mágica.

**d.** ............................................ cuando Geppetto fue a la carpintería como todos los días, vio la sorpresa: Pinocho se movía y hablaba como un niño real. Geppetto era un hombre feliz.

**e.** El hada, la misma noche que había dado vida a Pinocho, había creado también a un amigo para él: Pepito Grillo. ............................................ unos días, los dos fueron juntos a la escuela.

**f.** ............................................ ir hacia el colegio, Pinocho se encontró con unos niños que no iban a la escuela y se fue con ellos.

**g.** ............................................ el hada lo castigó: cada vez que dijera una mentira le crecería la nariz.

## ESTILO INDIRECTO ▶ CE: 2 (p. 42), 2 (p. 49), 1 (p. 50)

Usamos el estilo indirecto para transmitir y resumir lo dicho por otros. Para hacerlo se cambian los tiempos verbales, los pronombres, las partículas espaciales, etc.

**Estilo directo:**
*El rey les **dice** a los tejedores: "Un gran monarca como yo **merece** el mejor de los trajes. **Haced** uno con la tela más maravillosa del mundo. ¿**Creéis** que **podréis** hacerlo hoy?"*

**Estilo indirecto:**
*El rey les **dijo** a los tejedores <u>que</u> un gran monarca como él **merecía** el mejor de los trajes. <u>Les pidió que</u> **hicieran** uno con la tela más maravillosa del mundo <u>y les preguntó si</u> **creían** que **podrían** hacerlo aquel día.*

**CAMBIOS EN TIEMPOS VERBALES**
presente → pretérito imperfecto
pretérito indefinido → pretérito pluscuamperfecto
futuro → condicional
presente de subjuntivo → imperfecto de subjuntivo
imperativo → imperfecto de subjuntivo
condicional → condicional

**CAMBIOS EN PARTÍCULAS TEMPORALES Y ESPACIALES**
hoy → aquel día
mañana → el / al día siguiente
ayer → el día anterior
aquí → allí
este/-a/-os/-as → aquel / aquella/-os/-as

**4.** Escribe las siguientes frases en estilo indirecto.

**a.** El príncipe: ¿Quieres bailar conmigo?
El príncipe le preguntó ............................................

**b.** La princesa: "Me encantaría bailar toda la noche".
La princesa ............................................

**c.** La princesa: "¿Qué hora es? ¡Tengo que volver a casa antes de las 12:00!"
La princesa ............................................

**d.** El príncipe: "Una joven ha perdido aquí su zapato".
El príncipe ............................................

**e.** El criado: "Esa joven con la que bailó era del pueblo."
El criado ............................................

**f.** El príncipe: "Mañana, buscad en todas las casas del pueblo a la dueña de este zapato".
El príncipe ............................................

# El eclipse

Cuando fray Bartolomé Arrazola se sintió perdido aceptó que ya nada podría salvarlo. La selva poderosa de Guatemala lo había apresado, implacable y definitiva. Ante su ignorancia topográfica se sentó con tranquilidad a esperar la muerte. Quiso morir allí, sin ninguna esperanza, aislado, con el pensamiento fijo en la España distante, particularmente en el convento de los Abrojos, donde Carlos V condescendiera una vez a bajar de su eminencia para decirle que confiaba en el celo religioso de su labor redentora.

Al despertar se encontró rodeado por un grupo de indígenas de rostro impasible que se disponían a sacrificarlo ante un altar, un altar que a Bartolomé le pareció como el lecho en que descansaría, al fin, de sus temores, de su destino, de sí mismo.

Tres años en el país le habían conferido un mediano dominio de las lenguas nativas. Intentó algo. Dijo algunas palabras que fueron comprendidas.

Entonces floreció en él una idea que tuvo por digna de su talento y de su cultura universal y de su arduo conocimiento de Aristóteles. Recordó que para ese día se esperaba un eclipse total de sol. Y dispuso, en lo más íntimo, valerse de aquel conocimiento para engañar a sus opresores y salvar la vida.

—Si me matáis —les dijo— puedo hacer que el sol se oscurezca en su altura.

Los indígenas lo miraron fijamente y Bartolomé sorprendió la incredulidad en sus ojos. Vio que se produjo un pequeño consejo, y esperó confiado, no sin cierto desdén.

(...)

Augusto Monterroso, "El eclipse", en *Obras completas (y otros cuentos)* (páginas 55 y 56), Barcelona, Editorial Anagrama.

AUGUSTO
MONTERROSO

**Obras completas**
(y otros cuentos)

*Narrativas hispánicas*
Editorial Anagrama

**Augusto Monterroso** (1921-2003)
Hijo de padre guatemalteco y de madre hondureña, se definía a sí mismo como "guatemalteco de adopción y centroamericano por vocación". Fue un escritor comprometido que dedicó gran parte de su vida a luchar contra la dictadura de su país, y por ese motivo tuvo que exiliarse. Vivió en Bolivia, en Chile y en México, donde murió. Sus antologías de cuentos más importantes son *Movimiento perpetuo* (1972), *Viaje al centro de la fábula* (1989) y *Cuentos, fábulas y lo demás es silencio* (1996). Augusto Monterroso es uno de los escritores hispanos más representativos del relato breve y es el creador del género más breve de la literatura: el microrrelato.

## VÍDEO

### La leyenda de Huitzilopochtli

Huitzilopochtli fue la principal deidad de los mexicas, también conocidos como aztecas.

# LAS LENGUAS DEL MUNDO

## Gracias por el castigo

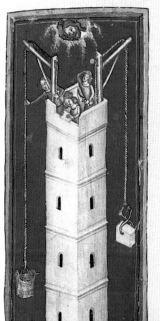

En Babilonia, la ciudad maldita, se estaba alzando aquella torre que era un pecado de arrogancia humana.

Y el rayo de la ira no demoró: Dios castigó a los constructores a hablar lenguas diferentes para que nunca más pudiera nadie entenderse con nadie, y la torre quedó para siempre a medio hacer.

Según los antiguos hebreos, la diversidad de las lenguas humanas fue un castigo divino.

Pero quizá, queriendo castigarnos, Dios nos hizo el favor de salvarnos de la lengua única.

## Fundación de los idiomas

Según los antiguos mexicanos, la historia es otra.

Ellos contaban que la montaña Chicomóztoc, alzada donde la mar se partía en dos mitades, tenía siete cuevas en sus entrañas.

En cada una de las cuevas reinaba un dios.

Con tierra de las siete cuevas y sangre de los siete dioses, fueron amasados los primeros pueblos nacidos en México.

Poquito a poco, los pueblos fueron brotando de las bocas de la montaña.

Cada pueblo habla, todavía, la lengua del dios que lo creó.

Por eso las lenguas son sagradas y son diversas las músicas del decir.

Eduardo Galeano. *Espejos. Una historia casi universal* (página 38), Siglo XXI editores, 2008.

**Eduardo Galeano**

(Montevideo, 1940-2015) fue un periodista y escritor uruguayo. Sus libros combinan ficción, documental, ensayo y periodismo, y han sido traducidos a varios idiomas. Algunos de ellos son *Su majestad el fútbol* (1968), *Las venas abiertas de América latina* (1971), *El libro de los abrazos* (1989), *Las palabras andantes* (1993) o *Espejos. Una historia casi Universal* (2008). El propio escritor se autodefinía como un periodista que estudiaba la globalización y sus efectos.

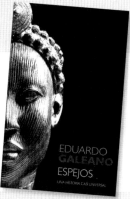

# 4 NUESTRO PROYECTO

## NUESTROS CUENTOS
### VAMOS A HACER UNA ANTOLOGÍA CON NUESTRAS PROPIAS VERSIONES DE CUENTOS TRADICIONALES.

Vamos a escribir una versión de un cuento conocido que rompa varios esquemas (por ejemplo, las chicas podrían ser valientes, las brujas, buenas y despistadas, los príncipes, artistas y no guerreros), y la vamos a explicar a la clase. Después, con los cuentos resultantes haremos una antología.

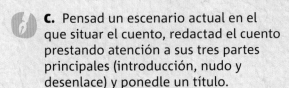 **A.** Dividid la clase en grupos. Cada grupo va a elegir un cuento tradicional y va a escribir:

- ▸ la moraleja del cuento tradicional elegido;
- ▸ una lista con las características de los personajes "buenos" y "malos" que aparecen en él.

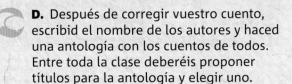 **B.** Pensad una moraleja distinta a la tradicional, más adecuada a nuestros tiempos. Luego, junto a cada una de las características que habéis anotado en A, escribid la característica opuesta para cada personaje.

**C.** Pensad un escenario actual en el que situar el cuento, redactad el cuento prestando atención a sus tres partes principales (introducción, nudo y desenlace) y ponedle un título.

**D.** Después de corregir vuestro cuento, escribid el nombre de los autores y haced una antología con los cuentos de todos. Entre toda la clase deberéis proponer títulos para la antología y elegir uno.

## CUENTACUENTOS
### VAMOS A CONTAR UN CUENTO DE LA ANTOLOGÍA DE FORMA COLECTIVA, CON NUESTRAS VOCES Y GESTOS.

 **A.** En los mismos grupos de antes, repartíos los distintos fragmentos del cuento y decidid quién será el narrador y quiénes los distintos personajes.

**B.** Ensayad las distintas partes individualmente y luego ensayadlas en grupo. Podéis leer, pero si os aprendéis el texto de memoria, quedará mucho mejor.

## COMPRENSIÓN LECTORA

**1.** Lee este cuento y responde a las preguntas.

### EL CRIADO DEL RICO MERCADER

Érase una vez, en la ciudad de Bagdad, un criado que servía a un rico mercader. Un día, muy de mañana, el criado se dirigió al mercado para hacer la compra. Pero esa mañana no fue como todas las demás, porque esa mañana vio allí a la Muerte y porque la Muerte le hizo un gesto. Aterrado, el criado volvió a la casa del mercader.

—Amo —le dijo—, déjeme el caballo más veloz de la casa. Esta noche quiero estar muy lejos de Bagdad. Esta noche quiero estar en la remota ciudad de Ispahán.

—Pero ¿por qué quieres huir?

—Porque he visto a la Muerte en el mercado y me ha hecho un gesto de amenaza.

El mercader se compadeció de él y le dejó el caballo y el criado partió con la esperanza de estar por la noche en Ispahán. Por la tarde, el propio mercader fue al mercado, y, como le había sucedido antes al criado, también él vio a la Muerte.

—Muerte —le dijo acercándose a ella—, ¿por qué le has hecho un gesto de amenaza a mi criado?

—¿Un gesto de amenaza? —contestó la Muerte—. No, no ha sido un gesto de amenaza, sino de asombro. Me ha sorprendido verlo aquí, tan lejos de Ispahán, porque esta noche debo llevarme en Ispahán a tu criado.

**Bernardo Atxaga.** *Obabakoak*

a. ¿Quiénes son los personajes?
b. ¿Cuál es la moraleja del cuento?
c. ¿Te ha gustado? ¿Por qué?

## INTERACCIÓN ORAL

**2.** Cada uno piensa en una leyenda o un cuento muy conocido. Su compañero, por medio de 10 preguntas, debe saber de qué relato se trata. Las preguntas deben estar formuladas de forma que la respuesta solo pueda ser "sí" o "no".

## EXPRESIÓN ORAL

**3.** Contad a la clase una leyenda conocida, pero cambiando el final por uno inventado.

## COMPRENSIÓN ORAL

Pista 37

**4.** Escucha esta leyenda y di si las afirmaciones son verdaderas o falsas. En el caso de que sean falsas, rectifícalas.

a. Es una leyenda española, de la ciudad de Teruel.
b. Los protagonistas de esta leyenda se llaman Pedro e Isabel.
c. Isabel era de familia pobre.
d. El padre de Isabel no la dejó casarse con Diego.
e. Diego se fue a hacer fortuna y dijo que volvería transcurridos 10 años para casarse con ella.
f. El día de la boda de Isabel con Pedro, apareció Diego.
g. Isabel y Diego murieron de amor.
h. Los enterraron juntos y nadie sabe dónde está su tumba.

## EXPRESIÓN ESCRITA

**5.** Transforma este minicuento a estilo directo.

### EL CONDE FANTASMÁCULA

Érase una vez un fantasmita que quería ser vampiro. Todos le preguntaban si era tonto y no sabía que no se podía ser las dos cosas, ya que los vampiros se alimentaban de sangre y que los fantasmas no se alimentan.

El fantasmita lloraba y se quejaba de que estaba harto de llevar siempre la misma sábana. Decía que lo que quería era ponerse una capa hermosa como la de los vampiros.

Un amigo tuvo lástima de él y le dio la solución.

Le dijo que si lo que quería era una capa, se podía arreglar la situación de una manera muy fácil.

Le dijo que le diera la sábana, la tiñó de rojo y negro, le hizo unos cuantos cortes y cosidos y se la devolvió convertida en una preciosa capa. Entonces le dijo que ya se podía llamar "Conde Fantasmácula".

El fantasmita le dijo que era muy feliz y le dio las gracias muy contento.

**Braulio Llamero.**

# 5

# HABLAR BIEN, ESCRIBIR BIEN

NUESTRO PROYECTO: VAMOS A HACER UNA EXPOSICIÓN ORAL Y A ESCRIBIR UN *WIKI* DE LA CLASE SOBRE UN TEMA ESCOGIDO ENTRE TODOS.

## VAMOS A...

- leer textos expositivos en lenguaje formal y a contrastarlos con textos informales;

- escuchar textos expositivos sobre inventos y productos;

- preparar y hacer una exposición oral en un registro formal y a conocer las características de un buen orador;

- comprender e interpretar infografías (gráficos con datos);

- redactar textos informativos sobre recursos naturales y escribir un texto con las características de un *wiki*;

- ver un vídeo sobre una máquina que produce agua potable.

## VAMOS A APRENDER...

- las características de los textos formales y de los informales;
- el uso de los demostrativos para hacer referencias a lo que se ha mencionado anteriormente en un texto;
- léxico sobre internet y tecnología;
- el prefijo de negación **in-/im-/i-**;
- conectores discursivos en textos expositivos escritos y orales.

## NUESTRO PORCENTAJE DE AGUA

DE ESTA, EL 60% SE ENCUENTRA COMO AGUA INTRACELULAR

BEBÉS: 80%    MUJERES: 50/55%    HOMBRES: 60%

 SANGRE: 81%

 RIÑONES: 81%

 CEREBRO: 75%

 MÚSCULOS: 75%

 HÍGADO: 71%

 HUESOS: 22%

 TEJIDO ADIPOSO: 21%

### PORCENTAJES DE AGUA EN TEJIDOS

## FUNCIONES DEL AGUA EN EL CUERPO HUMANO

ES LA BASE SOBRE LA QUE SE TRANSPORTAN LOS NUTRIENTES

REGULA LA TEMPERATURA CORPORAL

REGULA LA DIGESTIÓN

PERMITE LA ELIMINACIÓN DE TOXINAS

**Fuente:** http://www.aquaservice.com

**2**

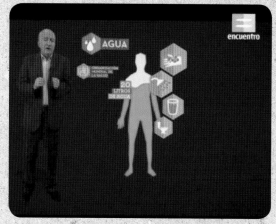

Según la Organización Mundial de la Salud, una persona utiliza un mínimo de 20 litros de agua al día. Hay 1100 millones de personas que tienen acceso a menos de 5 litros de agua diarios. Unos gastan ochenta veces más agua por día, otros gastan 80 veces menos.

B. Kliksberg

**Adaptado de:** *Agua potable, la desigualdad más peligrosa* (http://www.encuentro.gov.ar/)

**3**

- ● ¿Qué haces?
- ○ Estoy leyendo un artículo sobre las botellas de agua. ¿Sabes que el agua del grifo puede ser tan saludable como la embotellada?
- ● Sí, lo he oído, pero mucha gente dice que compra agua embotellada por el sabor.
- ○ Ya, pues aquí dice que si pones un filtro en el grifo... Pues... que es lo mismo.

**4**

 **450** litros de agua para producir **500 grs. de maíz**

 **70** litros de agua para producir **una manzana**

 **720** litros de agua para producir **una botella de vino**

 **1170** litros de agua para producir **300 grs. de pollo**

 **90** litros de agua para producir **750 ml. de té**

 **4500** litros de agua para producir **un bistec de 300 grs.**

 **200** litros de agua para producir **un sólo huevo**

 **50** litros de agua para producir **una naranja**

 **1440** litros de agua para producir **300 grs. de cerdo**

 **1000** litros de agua para producir **un litro de leche**

 **2500** litros de agua para producir **500 grs. de queso**

 **185** litros de agua para producir **una bolsa de frituras**

 **650** litros de agua para producir **500 grs. de pan**

 **1700** litros de agua para producir **500 grs. de arroz**

 **1830** litros de agua para producir **300 grs. de carne**

**Fuente:** http://www.vivesustentable.cl

**5**

La población mundial ha pasado de 2630 millones en 1950 a 6671 millones en 2008. En este periodo (de 1950 a 2010) la población urbana ha pasado de 733 millones a 3505 millones. Es en los asentamientos humanos donde se concentra el uso del agua no agrícola y donde se contraen la mayoría de las enfermedades relacionadas con el agua. [...]

Por diversos motivos, la disponibilidad del agua resulta problemática en buena parte del mundo, y por ello se ha convertido en una de las principales preocupaciones de muchos gobiernos. Actualmente, se estima que alrededor de mil millones de personas tienen un deficiente acceso al agua potable.

**Adaptado de:** https://es.wikipedia.org/wiki/Agua

# El agua

**A.** ¿De qué tratan estos documentos? Relaciónalos con el título correspondiente.

**a.** Las necesidades de agua por producto
**b.** La disponibilidad del agua potable en el mundo
**c.** Somos agua
**d.** El consumo de agua en los hogares
**e.** Las necesidades de agua por persona

**B.** ¿Qué documento crees que pertenece al registro informal?

## 1. Qué es un *wiki*

**A.** ¿Sabéis qué es la Wikipedia? ¿La usáis? ¿Y un *wiki*? ¿Qué experiencia tenéis con la Wikipedia y los *wikis*? Comentadlo en el aula.

**B.** Vais a trabajar en parejas: A y B. A leerá el texto sobre Wikipedia y B, sobre el *wiki*. Intentad memorizar (podéis anotar nombres y cifras) la información. Después cerrad el libro y cada uno deberá hacer a su compañero las preguntas de las fichas.

### WIKI

El término *wiki* procede del idioma hawaiano. Es una abreviación de la palabra hawaiana *wikiwiki*, que significa "rápido". El nombre lo eligió su creador, Ward Cunningan, un programador norteamericano que en 1994 inventó un software libre para crear, intercambiar y revisar contenidos en la web de forma colaborativa, fácil y automática. Un *wiki* ofrece mucha libertad y facilidad a los usuarios, incluso a aquellos que no tienen muchos conocimientos de informática ni de programación.

La finalidad de un *wiki* es permitir que varios usuarios puedan crear páginas web con textos informativos sobre un mismo tema. De esta forma cada uno aporta parte de sus conocimientos para que la página web sea más completa.

Wikipedia es un enorme proyecto popular de enciclopedia en internet basado en la tecnología *wiki*.

### WIKIPEDIA

Wikipedia es una enciclopedia libre, gratuita y políglota escrita con la colaboración de sus contribuyentes mediante la tecnología *wiki*. Gracias a ella, cualquier persona con acceso a internet puede escribir un artículo o modificar los que ya están escritos. El proyecto nació el 15 de enero de 2001 por obra de dos profesores de filosofía norteamericanos: Jimbo Wales y Larry Sanger. En la actualidad, Wikipedia depende de un organismo llamado Fundación Wikimedia, que es una organización sin ánimo de lucro. La Wikipedia es uno de los 10 sitios de internet más visitados del mundo y contiene 37 millones de artículos en 287 idiomas diferentes.

Una de las críticas que recibe Wikipedia es que sus artículos no son fiables. Sin embargo, según la revista científica *Nature*, numerosos artículos científicos de Wikipedia en inglés son casi tan exactos como los de la *Encyclopaedia Britannica*.

**Alumno A**

¿Qué es un *wiki*?

¿Cuántos años hace que se inventó?

¿Para qué sirve?

¿Cuáles son sus características?

**Alumno B**

¿Qué es Wikipedia?

¿Cuántos años hace que se inventó?

¿Para qué sirve?

¿Cuáles son sus características?

**C.** Ahora responded los dos juntos a estas preguntas.

▶ ¿En qué se diferencia la Wikipedia de otras enciclopedias?
▶ ¿Cómo se llama la Wikipedia en vuestra lengua?
▶ ¿Quién puede publicar un *wiki*?
▶ ¿Por qué son tan conocidos estos dos inventos?

### CARACTERÍSTICAS DEL REGISTRO FORMAL

▶ CE: 2 y 3 (p. 54), 2 (p. 61)

**HACER REFERENCIAS A LO DICHO ANTERIORMENTE**
**Usando sinónimos**
***El agua*** *es un compuesto químico formado por dos átomos de hidrógeno y uno de oxígeno ($H_2O$).* *Este elemento es vital para el planeta.*

**Usando pronombres**
Muchas veces retomamos lo dicho anteriormente.
***El agua es un elemento vital para los seres vivos.***
*Esto tiene muchas consecuencias para la Humanidad.*

**DEFINICIONES O ACLARACIONES EN LA MISMA FRASE**
*Wikipedia depende de la Fundación Wikimedia,* **que es una organización sin ánimo de lucro***.*

**USO DEL LENGUAJE PRECISO**
Se evitan ambigüedades explicando con detalle las acciones o situaciones.
*Inventó un software libre para* **crear, intercambiar y revisar** *contenidos en la web de forma* **colaborativa, fácil y automática***.*

**BÚSQUEDA DE LA OBJETIVIDAD Y DE LA EXPLICACIÓN SENCILLA**
*Youtube* **es un sitio web donde cualquier usuario puede subir y compartir vídeos sin tener conocimientos informáticos***.*

## 2. Tecnología digital ▶ CE: 5 (p. 56)

 **A.** Leed los textos. ¿Cuál de estos inventos os parece más importante? ¿Por qué?

### TRES INVENTOS DIGITALES DEL SIGLO XXI

#### LA TABLETA

Una tableta es un ordenador portátil con una pantalla táctil. La primera tableta nació en el año 2001 en la empresa finlandesa Nokia, pesaba dos kilos y medio y no salió a la venta. En el año 2010 salieron al mercado las primeras tabletas de forma masiva y tuvieron muy buena acogida. Hoy en día siguen siendo un gran éxito de ventas.

#### YOUTUBE

YouTube es un sitio web donde cualquier usuario sin conocimientos informáticos puede subir y compartir vídeos, pero también es una red social más que atrae a millones de visitantes. Estos visitantes plasman sus comentarios en la misma página generando la interacción de los usuarios. La fórmula de éxito de YouTube es que se ha convertido en una herramienta de promoción con altos niveles de audiencia y participación.

#### LA IMPRESORA 3D

La impresora 3D es una máquina capaz de crear piezas o maquetas volumétricas a partir de un diseño procedente de un formato digital. Funciona como las impresoras de chorro de tinta, pero, en lugar de esta, utiliza materiales que se depositan en una serie de capas sucesivas hasta crear el objeto programado. Así, por ejemplo, se pueden crear desde instrumentos musicales hasta prótesis.

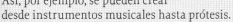

 **B.** Escucha el espacio radiofónico "El invento del siglo". ¿Qué información complementaria ofrece de cada uno de estos inventos? Anota los datos nuevos.

Pistas 38-40

## 3. No lo decimos igual ▶ CE: 5 (p. 56)

En los textos expositivos usamos un lenguaje formal. Observa las diferencias en estos pares de frases y decide cuáles están escritas en un registro más formal.

**a.** El término *wiki* procede del hawaiano.
**b.** El nombre *wiki* viene del hawaiano.

**a.** Hacer un *wiki* es muy fácil, no tienes que saber nada de informática ni de programación.
**b.** Un *wiki* es una herramienta de muy fácil manejo: para su uso no es necesario poseer conocimientos de informática o de programación.

**a.** La impresora 3D es una máquina que imprime cosas con volumen. Tú le das un diseño y… Se lo das y lo imprime.
**b.** La impresora 3D es una máquina capaz de crear objetos volumétricos a partir de un diseño procedente de un formato digital.

**a.** La primera tableta es del año 2001. La inventaron unos finlandeses, pero no la sacaron a la venta.
**b.** La primera tableta la creó una empresa finlandesa en el año 2001; sin embargo, no se llegó a comercializar.

**a.** YouTube es el líder mundial en lo referente a sitios web que alojan vídeos.
**b.** YouTube es un sitio web de vídeos. Es el sitio de vídeos más visitado del mundo.

---

### CARACTERÍSTICAS DEL REGISTRO INFORMAL

REPETICIONES SIN BÚSQUEDA DE SINÓNIMOS
*El agua del* **grifo** *es buena… Mira, yo creo que si bebes agua del* **grifo** *no pasa nada.*

USO DE TÉRMINOS GENERALES, MENOS PRECISOS
*El nombre wiki* **viene** *del hawaiano.*
*La tableta fue una de las* **cosas** *más regaladas esta Navidad.*

FRASES CORTAS E INCONCLUSAS
*Ya, pues aquí dice que si pones un filtro en el grifo… Pues… que es lo mismo.*

### LÉXICO SOBRE INTERNET
**crear contenidos de forma colaborativa**
**acceso a internet**
**sitio web**
**software libre**
**red social**
**crear páginas web**
**subir fotos / vídeos…**
**descargar música / películas…**

### MINIPROYECTO

Pensad en un invento digital actual (el *smartphone*, el WhatsApp, el dron, los chips…) y redactad un pequeño texto informativo en registro formal. Haced un mural de la clase con las descripciones de los inventos.

## 4. ¿Qué sabes del agua? ▶ CE: 6 (p. 57), 8 (p. 58)

 **A.** Con un compañero, discutid las respuestas a las siguientes preguntas.

- ▶ ¿Cómo se dice "agua" en vuestro idioma?
- ▶ ¿Y en otras lenguas que conocéis?
- ▶ ¿Qué creéis que significa que algo "está más claro que el agua"?
- ▶ ¿Hay suficiente agua en vuestro país?
- ▶ ¿Creéis que usamos el agua correctamente?

 **B.** Por parejas, y sin mirar las fichas, elegid A o B. A va a escuchar las pistas 41-44 y B las pistas 45-48. Tomad nota de los datos.

Pistas 41-48

**FICHA A** Pistas 41-44

**1.** ¿Sabes de dónde viene la palabra "agua" en español?

**2.** ¿Qué río de España pasa por Zaragoza?

**3.** ¿Cómo se llama el río más largo y caudaloso de América Latina?

**4.** ¿Sabes en qué ciudad de España hay un famoso acueducto? ¿Para qué servía? ¿Quién lo construyó?

**FICHA B** Pistas 45-48

**1.** ¿Conoces la fórmula química del agua? ¿Puedes decirla en español?

**2.** ¿Por qué hay ríos españoles que tienen un nombre que empieza por "Guad" (Guadalquivir, Guadiana, Guadalhorce...)?

**3.** ¿Cuáles son los dos lagos de agua dulce más grandes de América Latina?

**4.** ¿Entre qué países se encuentran las cataratas del Iguazú?

 **C.** Ahora, por turnos, vais a hacer las preguntas de vuestra ficha a vuestro compañero y a anotar las respuestas.

 **D.** Comprueba si las respuestas de tu compañero coinciden con lo que has escuchado y dale un punto por cada respuesta acertada.

## 5. El agua es vida ▶ CE: 3 (p. 54)

 **A.** ¿Estás de acuerdo con la frase "El agua es vida"? ¿Por qué?

 **B.** En parejas, leed el texto "El valor del agua" y completad este esquema.

**1. Valor del agua**
1.1. En las personas
1.2. En las actividades de las personas

**2. Desigualdades**
2.1. Principales fuentes de agua dulce
2.2. Distribución del agua
2.3. Principales problemas en algunos países

**3. Soluciones**

 **C.** ¿Estáis de acuerdo con las soluciones que plantea el texto? ¿Os parecen suficientes? Con un compañero, redactad dos soluciones más.

## CONECTORES DISCURSIVOS DEL TEXTO EXPOSITIVO ▶ CE: 4 (p. 55), 8 y 9 (p. 58), 1 (p. 60)

**PARA REFORMULAR O SACAR CONCLUSIONES**
así pues, ...
es decir, ...
de esta forma...
por este / estos motivo/s...
por consiguiente / tanto, ...
lo que / esto significa que...

**PARA ORDENAR ARGUMENTOS**
en primer lugar...
en segundo lugar...
por último...

**PARA EJEMPLIFICAR**
en concreto, ...
(así,) por ejemplo, ...

**PARA PLANTEARNOS INFORMACIÓN O DATOS CONTRADICTORIOS**
aunque...
si bien...
sin embargo, ...
en cambio, ...

**PARA DAR INFORMACIÓN CITANDO LAS FUENTES**
según (datos de) ...
las estadísticas / los estudios indican que...

# El valor del agua

El agua es imprescindible para los seres vivos. Para una persona, **por ejemplo**, este elemento constituye aproximadamente el 55 % de su peso. **Asimismo**, forma parte de muchas de las actividades de los seres humanos, como la agricultura, la ganadería, los procesos industriales y la obtención de energía. **Sin embargo**, el agua plantea dos grandes problemas: el acceso de una parte de la población mundial a este recurso y su calidad.

**Aunque** puede parecer un recurso abundante —dos tercios de nuestro planeta están cubiertos de agua—, no toda es apta para el consumo humano. **Además**, la presencia de este elemento en las distintas regiones del mundo es muy irregular, **lo que significa que** no toda la población tiene las mismas posibilidades de abastecerse de agua potable. Las estadísticas indican que un 40 % de la población mundial tiene problemas con la escasez de agua.

**Según** la OMS (Organización Mundial de la Salud), para cubrir satisfactoriamente sus necesidades de higiene personal, limpieza, bebida y comida y minimizar los riesgos para la salud, una persona debería poder acceder a 50 litros de agua al día. **Sin embargo**, la situación en diferentes lugares del mundo es muy dispar. **Por ejemplo**, en los países desarrollados el consumo de agua por habitante puede alcanzar los 300 litros diarios y los hogares disponen de agua corriente. En las zonas poco desarrolladas, **en cambio**, el consumo apenas llega a 25 litros y muchas mujeres, niñas y niños dedican parte de la jornada a ir a buscar agua para el consumo familiar, muchas veces a muchos kilómetros de sus casas.

Con respecto a la calidad del agua, las cifras que maneja la OMS dan cuenta de la gravedad del problema: **según** esta organización, más de 25 000 personas mueren a diario por utilizar agua contaminada y la mitad de la población mundial está expuesta a enfermedades como el cólera, el tifus o la amebiosis, derivadas del consumo de agua sin tratamiento alguno. Los más afectados por este tipo de enfermedades son los niños.

¿Qué podemos hacer frente a estos problemas? **En primer lugar**, es muy importante que tomemos conciencia de que el agua es un bien escaso y no debe gastarse en vano. **En segundo lugar**, es imprescindible luchar contra todo aquello que produce la contaminación de los acuíferos, incluidas las personas. El agua sigue un ciclo de evaporación, precipitación y vuelta a los mares y océanos y está continuamente purificándose. **Por consiguiente**, si no la contaminamos y no la agotamos tendremos un suministro continuo y barato de este precioso y preciado elemento.

**Fuentes:** www.ayudaenaccion.org; www.ambientum.com; OMS; www.who.int

PARA AÑADIR INFORMACIÓN SOBRE
UN TEMA O PLANTEAR NUEVOS TEMAS
por una / otra parte, ...
de un / otro lado, ...
además, ...
asimismo, ...

PARA CONCLUIR O CERRAR
en conclusión, ...
en resumen, ...

EL PREFIJO IN-
El prefijo **in-** indica negación.
Presenta las variantes **i-** e **im-**:
**in**calculable, **in**imaginable
**i**rregular, **i**rracional
**im**prescindible, **im**posible

MINIPROYECTO

En grupos, buscad información y redactad un texto sobre un recurso (como el agua) y su importancia en la vida humana. Para escribirlo, primero haced un esquema como el de la actividad 5. Luego redactadlo con los conectores correspondientes.

## 6. El tesoro de América ▶ CE: 6 (p. 57), 3 (p. 61)

 **A.** ¿Sabes qué productos de esta lista llegaron a Europa desde América a partir del siglo XVI? Coméntalo con un compañero y marcadlos.

la patata
la naranja
el aguacate
el cacahuete
el arroz
los frijoles
la zanahoria

la vainilla
el maíz
la quinoa
la canela
la piña
el cacao
la sandía

el pimiento
la papaya
el chocolate
las lentejas
la berenjena
la alcachofa
el tomate

 **B.** Escucha el texto y comprueba tus respuestas.

Pista 49

 **C.** Lee esta infografía sobre la papa y contesta a las preguntas.

▶ ¿Qué es la papa?
▶ ¿Con qué otro nombre se la conoce en Europa?
▶ ¿Cómo es?
▶ ¿Dónde tiene su origen?
▶ ¿Cuántos años hace que se cultiva?
▶ ¿Cuándo llegó a Europa?

▶ ¿Cuándo se empezó a cultivar para el gran consumo en Europa? ¿Por qué?
▶ ¿Cuáles son los mayores países productores del mundo?
▶ Otras informaciones.

# La papa

La papa es un tubérculo. En Europa, los españoles le dieron el nombre de "patata". Es originaria de la parte norte del lago Titicaca, a 3800 metros de altura, en la cordillera de los Andes, en la frontera entre Bolivia y Perú. Empezó a cultivarse hace 8000 años.

En 1515 llegó a Europa con todos los productos que los españoles importaron de América. Su cultivo y consumo masivo en Europa empezó en el siglo XVIII a causa de la hambruna provocada por la falta de cereales y la necesidad de encontrar nuevos productos alimenticios.

## Los mayores países productores de papas

COLOMBIA
PERÚ
BOLIVIA
CHILE

RUSIA
UCRANIA
CHINA
INDIA

PAPA NATIVA
$ 3.00 K

## Usos industriales no alimenticios

papel de envolver / material de embalaje / papel de prensa / pegamento / polvo para lavar la ropa / pastillas / champú / polvos faciales / pasta dentífrica / cartón arrugado

## Alimentos más consumidos en el mundo

1º ARROZ • 2º TRIGO • 3º PAPA • 4º MAÍZ

## Nutrientes de la papa

Por 100 g de papa hervida y pelada antes de su consumo

| AGUA | ENERGÍA | CALCIO | POTASIO | FÓSFORO | VITAMINA C | PROTEÍNAS | GRASAS | CARBOHIDRATOS | FIBRA |
|---|---|---|---|---|---|---|---|---|---|
| 77 | 87 | 5 | 379 | 44 | 13 | 1,87 | 0,1 | 20,13 | 1,8 |
| gramos | calorías | mg | mg | mg | mg | gramos | gramos | gramos | gramos |

**Fuente:** Departamento de Agricultura de los Estados Unidos. Base de datos nacional de nutrientes / Odepa con información de Faostat 2011 / Instituto Escocés de Investigación en Cultivos / Ministerio de Agricultura 2011 / Faostat

## ALGUNOS RECURSOS PARA HACER UNA EXPOSICIÓN ORAL

PARA EMPEZAR Y PRESENTAR EL TEMA
os voy / vamos a hablar de...
me gustaría hablaros de...

PARA ESTRUCTURAR LA EXPOSICIÓN O AÑADIR NUEVOS ASPECTOS
en primer / segundo lugar...
por una / otra parte...
en cuanto a...
(con) respecto a...
(también) hay que tener en cuenta que...
además (de)...

PARA RECORDAR ASPECTOS CONOCIDOS POR EL PÚBLICO
como es bien sabido... / como todos sabéis...

PARA DAR INFORMACIÓN SIN CITAR LAS FUENTES
se dice / algunos dicen... / se cree...

PARA DAR INFORMACIÓN CITANDO LAS FUENTES
según...

PARA DAR INFORMACIÓN SUBJETIVA
personalmente, opino que...
en mi opinión...

**D.** Ahora escucha la exposición oral sobre la papa que ha hecho un alumno a partir de la infografía anterior a la vez que lees su transcripción. ¿Se ha olvidado de transcribir algún detalle importante?

Pista 50

---

Buenos días a todos:

Os voy a hablar de la papa, o patata, sus orígenes y su importancia en el mundo actual.

*Papa* es su nombre americano, el original, y *patata* es el que le dieron los españoles en Europa.

La papa es un tubérculo, es decir, una raíz que crece bajo tierra. Es originaria de América del Sur, donde ya se cultivaba hace unos 8000 años. Concretamente en los Andes, a 3800 m de altura, al norte del lago Titicaca; o sea, en la frontera actual entre Perú y Bolivia. También se sabe que fue uno de los alimentos básicos en la cultura inca.

La papa llegó a Europa, juntamente con otros productos del continente americano, en el siglo XVI. Sin embargo, su consumo y su cultivo no se popularizaron hasta el siglo XVIII, cuando Europa vivió una gran hambruna debido a la falta de cereales. La papa se convirtió entonces en un alimento esencial y su cultivo se extendió por el Viejo Continente.

En cuanto a la actualidad, hoy en día la papa es el tercer alimento más consumido en el mundo, después del arroz y del trigo, y se cosecha en numerosos países. Los mayores productores de este tubérculo son Bolivia, Perú, Colombia y Chile.

Además de utilizarse como alimento se usa también para la fabricación de productos industriales muy diversos, como el pegamento, la pasta dentífrica y el champú.

Y esta es toda la información que os puedo dar sobre la papa. ¡Seguro que al salir de aquí tendréis ganas de ir a comeros un buen plato de papas!

¡Muchas gracias por vuestra atención!

---

## 7. **Un buen orador**

**A.** A la derecha tienes una lista con algunas características propias de un buen orador y de un mal orador. Discútelas con un compañero y clasificadlas según la tabla.

| BUEN ORADOR | MAL ORADOR |
|---|---|
| ... | ... |

**B.** Con la información del apartado A y con la ayuda de vuestro profesor, elaborad una parrilla de observación de las cosas que son importantes en una exposición oral.

▸ Lee su texto.
▸ Se apoya en la pared.
▸ No mira al público.
▸ Hace esquemas y muestra imágenes para ilustrar su exposición.
▸ Termina su exposición dando gracias al público por su atención.
▸ Mira al público en general.
▸ No lee su texto.
▸ Su exposición sigue una estructura.
▸ Lleva su texto escrito y, de vez en cuando, lo mira.

▸ Masca chicle.
▸ Lleva las manos en los bolsillos.
▸ No se pasa del tiempo establecido.
▸ Habla siempre en el mismo tono.
▸ Repite muletillas: *bueno, ejem, pues*...
▸ Pone ejemplos de lo que explica.
▸ Titubea, carraspea, tose.
▸ Anuncia el tema del que va a hablar.
▸ Mira el reloj.

---

PARA ANUNCIAR QUE SE TERMINA LA EXPOSICIÓN
**para terminar, ...**
**en resumen, ...**
**por último, ...**

PARA CONCLUIR
*Espero que os / les haya resultado interesante.*
*Muchas gracias por vuestra / su atención.*

¡Antes del agradecimiento, no olvides decir una frase llamativa, una reflexión que resuma el mensaje de tu presentación o incluso una cita!

## MINIPROYECTO

Preparad una exposición oral de un minuto sobre uno de los productos que llegaron de América citados en la actividad 6. Valorad a vuestros compañeros con la parrilla.

## ABC DE TECNOLOGÍA ▶ CE: 1 (p. 62)

**1.** Relaciona las palabras con las definiciones que faltan.

**①** término que permite obtener resultados en buscadores.

**②** carácter utilizado en las direcciones de correo electrónico para separar el nombre del usuario y el nombre del dominio de la red informática.

**③** acción de visitar páginas web pasando de una a otra siguiendo sus enlaces.

**④** comunidad virtual, en la cual es posible acceder a servicios que permiten crear grupos según los intereses de los usuarios, compartiendo fotografías, vídeos e información en general.

**⑤** la sección de menú de un navegador donde se pueden almacenar los sitios preferidos, para luego volver a ellos con un simple clic desde un menú.

**Ⓐ Arroba:** ........

**Ⓑ Buzón:** depósito en el que se almacenan y organizan los mensajes de correo electrónico recibidos por un usuario.

**Ⓒ Contenido:** información que aparece en una página web organizada en forma de noticias o texto informativo.

**Ⓓ Dominio:** es la localización de internet en una página determinada.

**Ⓔ Emoticono:** símbolo utilizado en conversaciones por internet que representa un estado de ánimo.

**Ⓕ Favorito:** ........

**Ⓖ Grupo:** foro de discusión e intercambio de información en internet o en un teléfono inteligente.

**Ⓗ Hipertexto:** enlace.

**Ⓘ Icono:** símbolo que representa una acción habitual en los medios informáticos. Por ejemplo "cortar", "pegar", etc.

**Ⓚ K:** unidad de almacenamiento de información.

**Ⓛ Lista de distribución:** lista de correos electrónicos a los que les llega la misma información.

**Ⓜ Marcador:** léase favorito.

**Ⓝ Navegar:** ........

**Ⓞ Operador:** compañia que provee de servicios de telefonía o internet.

**Ⓟ Palabra clave:** ........

**Ⓡ Red social:** ........

**Ⓢ Servidor:** computadora que suministra información a través de una red a otras computadoras.

**Ⓣ Táctil:** pantalla que permite la entrada de datos al tocar directamente sobre su superficie.

**Ⓤ Usuario, nombre de:** nombre con el que un sistema informático identifica la cuenta de un usuario.

**Ⓥ Vínculo:** enlace.

## CONECTORES DISCURSIVOS DEL TEXTO EXPOSITIVO INFORMATIVO ▶ CE: 2 y 3 (p. 54), 4 (p. 55)

**PARA REFORMULAR O SACAR CONCLUSIONES**
así pues, ...
es decir, ...
de esta forma...
por este / estos motivo/s...
por consiguiente / tanto, ...
lo que / esto significa que...

**PARA ORDENAR ARGUMENTOS**
en primer lugar...
en segundo lugar...
por último...

**PARA EJEMPLIFICAR**
en concreto, ...
(así,) por ejemplo, ...

**PARA AÑADIR INFORMACIÓN SOBRE UN TEMA O PLANTEAR TEMAS NUEVOS**
por una / otra parte, ...
además (de), ...
asimismo...
en cuanto a...
(con) respecto a...
(también) hay que tener en cuenta que...
no solo..., sino que...

**PARA PLANTEARNOS INFORMACIÓN O DATOS CONTRADICTORIOS**
aunque...
sin embargo, ...
en cambio, ...

**PARA INTERCALAR INFORMACIÓN**
El agua, **que ocupa tres cuartas partes del planeta**, es vital para los seres vivos.

**PARA CONCLUIR O CERRAR**
en conclusión, ...
en resumen, ...

**2.** Elige la opción correcta en cada caso.

Hoy en día, las redes sociales han adquirido una importancia difícil de imaginar hace tan solo unos años. **En segundo lugar / Aunque** Facebook solo existe desde 2004 y Twitter desde 2006, estas y otras redes sociales han cambiado nuestra forma de relacionarnos y acceder a la información.

**Sin embargo / En primer lugar**, se han convertido en un medio de comunicación fundamental para relacionarnos con nuestros amigos y familiares. **Sin embargo / Además**, en ocasiones son el medio principal para estar en contacto con personas que viven en otros países.

**Es decir / En segundo lugar**, las redes sociales nos sirven para informarnos acerca de la actualidad y cada vez es más frecuente seguir en las redes a los medios de comunicación de nuestra confianza y compartir con nuestros amigos las noticias que nos llaman la atención. **Además / Por ejemplo**: leemos las noticias que comparten los miembros de nuestras redes.

**Es decir / Aunque**, podemos afirmar que las redes sociales han modificado nuestros hábitos a la hora de informarnos.

**En concreto / Sin embargo**, no todo el mundo está totalmente satisfecho con este cambio. **Es decir / En concreto**, los medios de comunicación tradicionales están teniendo serias dificultades para adaptarse ya que cada vez tienen menos lectores, especialmente la prensa en papel.

## CARACTERÍSTICAS DE LOS REGISTROS FORMAL E INFORMAL ▶ CE: 2 y 3 (p. 54), 4 (p. 55)

| REGISTRO FORMAL | REGISTRO INFORMAL |
|---|---|

### CONSTRUCCIÓN DEL TEXTO

| | |
|---|---|
| **Referencia a lo dicho anteriormente**<br>▸ con sinónimos:<br>***El agua*** *es un compuesto químico formado por dos átomos de hidrógeno y uno de oxígeno ($H_2O$).* <u>*Este elemento*</u> *es vital para el planeta.*<br>▸ con pronombres:<br>*Sin duda, el dispositivo electrónico más vendido en los últimos años son* <u>*las tabletas*</u>*. **Estas** han conseguido superar en ventas incluso a los ordenadores portátiles.* | **Tendencia a las explicaciones sencillas o a comparaciones**<br>*Las tabletas son como un portátil, pero más pequeño y práctico.* |
| **Empleo correcto y variado de conectores discursivos, y frases subordinadas con explicaciones o aclaraciones**<br>*Los dispositivos móviles están alcanzado cotas de mercado superiores a lo previsto; **sin embargo**, se observa cierta estabilización en las ventas. Las personas mayores de 60 años, **quienes** hasta ahora no se habían interesado por este tipo de productos, han comenzado a ser también clientes habituales de la telefonía móvil.* | **Uso reducido de conectores discursivos y escaso empleo de la subordinación**<br>*Los drones los hemos visto en la televisión. Los drones salen también en las películas. Yo no he visto todavía un dron volando, ¿sabes?*<br><br>**Frases cortas e inconclusas**<br>*Los drones son un invento muy... los drones llevan poco tiempo en el mercado.* |

### LÉXICO

| | |
|---|---|
| **Uso de lenguaje preciso**<br>*Los nuevos anuncios en internet **se generan** a medida del usuario, **recopilando** información de las páginas visitadas, de tal modo que se puedan comparar con las bases de datos de **proveedores externos** y puedan lanzar la información **pertinente** que a cada usuario pueda interesarle.*<br><br>**Búsqueda de la objetividad y de la explicación sencilla**<br>*Una red social es una aplicación informática que permite comunicarse con otros usuarios a través de perfiles.* | **Repeticiones abundantes**<br>*En las **redes sociales** se pueden compartir noticias. También en las **redes sociales** se puede contactar con amigos.*<br><br>**Frases hechas y expresiones coloquiales**<br>• *Las redes sociales me aburren, **¿sabes?***<br>○ *Sí, ya. A veces **son un rollo**. Ya...*<br><br>**Uso de términos generales, menos precisos**<br>*¡Cuántos anuncios hay en internet que utilizan mi información! Ese **tipo de cosas** no me gustan nada.* |

**3.** Estas frases son comentarios de internet en un foro sobre tecnología. Los usuarios han elegido un tono informal. Escríbelas de nuevo utilizando un registro formal. Busca en el diccionario si necesitas encontrar términos más precisos.

**a.** Los diccionarios en internet son un poco..., no sé, a veces encuentras una palabra un poco antigua y no te sirve porque no se usa.

**b.** Hay aplicaciones de internet para todo tipo de cosas. Hay aplicaciones para cambiar fotos, para hablar, para todo...

**c.** Internet creo que no es seguro completamente, es como si dejas escritos tus datos y tu teléfono y eso en un tablón público. Todos lo pueden ver.

**d.** Mucha gente tiene blog pero al final no se escribe nada nuevo. Entonces hay blogs que están vacíos.

**e.** Las aplicaciones de móviles más descargadas son muchas veces juegos y cosas así. Las aplicaciones menos descargadas son aplicaciones que no sirven para nada.

# La tierra dividida, el mundo unido

## UN ISTMO CON HISTORIA

Panamá está situado en un istmo, una estrecha franja de tierra entre dos océanos, el Atlántico y el Pacífico. Este hecho ha condicionado su historia moderna. El lema "La tierra dividida, el mundo unido" acompañó la construcción de su famoso canal.

En 1510, el conquistador y navegante español Vasco Núñez de Balboa fundó en Panamá la primera ciudad española en tierra firme: Santa María la Antigua del Darién.

Fue el emperador Carlos V de Alemania (y Carlos I de España) quien inició un movimiento para construir un paso a través del istmo de Panamá. En 1534, decretó que el gobernador de Panamá hiciera un proyecto y levantara planos a fin de construir una ruta hacia el Pacífico siguiendo el río Chagres, que es el río que atraviesa Panamá. El proyecto seguía más o menos el del actual canal. La iniciativa fracasó por falta de medios técnicos en aquella época.

**EL PUENTE DE LAS AMÉRICAS**
Es un puente que está a 118 m sobre el nivel del mar y se extiende sobre la bahía de Panamá. La vista sobre el famoso canal es magnífica. Fue inaugurado en 1962.

**INDEPENDENCIA**
En 1821 Panamá se independizó de España, pero formaba parte de la República de Colombia, de la que se independizó, a su vez, en 1903. Este hecho convierte a Panamá en el más joven de los países americanos.

## EL CANAL DE PANAMÁ

Se inauguró en 1914. Desde entonces lo han atravesado más de 825 000 barcos. En su construcción trabajaron 75 000 obreros, de los que 20 000 murieron por accidentes laborales o enfermedades tropicales.

Es un canal de esclusas, de aproximadamente 80 km de largo, que une el mar Caribe con el océano Pacífico en uno de los puntos más estrechos del istmo de Panamá y de todo el continente americano. Los tres juegos de esclusas del canal, de dos vías cada una, sirven como ascensores de agua que elevan los barcos a 26 m sobre el mar, para luego bajarlos al nivel del mar al otro lado del istmo.

Un barco tarda entre 8 y 10 horas en atravesar el canal. Si tuviera que pasar por el estrecho de Magallanes haría 7000 km más. Este canal ha servido para acortar las distancias y tiempos de comunicación marítima y ha sido una de las bases del progreso económico y comercial de Hispanoamérica durante casi todo el siglo XX.

El canal de Panamá es una de las mayores obras de ingeniería del mundo. Con el material excavado para hacerlo se podría construir una réplica de la Gran Muralla china desde San Francisco hasta Nueva York.

# Ingredientes para el chocolate

2 libras de cacao Soconusco
2 libras de cacao Maracaibo
2 libras de cacao Caracas
Azúcar entre 4 y 6 libras según el gusto

## Manera de hacerse

La primera operación es tostar el cacao. Para hacerlo es conveniente utilizar una charola[1] de hojalata en vez del comal[2], pues el aceite que se desprende de los granos se pierde entre los poros del comal. Es importantísimo poner cuidado en este tipo de indicaciones, pues la bondad del chocolate depende de tres cosas, a saber: de que el cacao que se emplee esté sano y no averiado, de que se mezclen en su fabricación distintas clases de cacao y, por último, de su grado de tueste[3].

El grado de tueste aconsejable es el del momento en que el cacao comienza a despedir su aceite. Si se retira antes, aparte de presentar un aspecto descolorido y desagradable, lo hará indigesto. Por el contrario, si se deja más tiempo sobre el fuego, el grano quedará quemado en gran parte y contaminará de acrimonia[4] y aspereza al chocolate.

Tita extrajo solo media cucharadita de este aceite para mezclarlo con aceite de almendras dulces y preparar una excelente pomada para los labios. En invierno se le partían invariablemente, tomara las precauciones que tomara. Cuando era niña esto le causaba gran malestar, pues cada vez que se reía, se le abrían sus carnosos labios y le sangraban produciéndole un intenso dolor. Con el tiempo lo fue tomando con resignación. Y como ahora no tenía muchas razones que digamos para reír, no le preocupaba en lo más mínimo. Podía esperar hasta la llegada de la primavera para que desaparecieran las grietas. El único interés que le movía a preparar la pomada era que por la noche vendrían a la casa algunos invitados a partir la Rosca de Reyes.

Por vanidad, no porque pensara reírse mucho, quería tener los labios suaves y brillantes durante la velada. (...)

**Laura Esquivel**, *Como agua para chocolate*, editorial Grijalbo-Mondadori. 1989, págs. 143-144.

**VOCABULARIO:**

1. **charola:** bandeja, utensilio para servir comida (se usa en Bolivia, Honduras, México y Perú).
2. **comal:** disco de barro o de metal que se utiliza para cocer tortillas de maíz o para tostar granos de café o de cacao (palabra usada en América Central, Ecuador y México).
3. **tueste:** acción y efecto de tostar.
4. **acrimonia:** gusto áspero.

## VÍDEO
## Agua en el desierto

 Enrique Veiga, un inventor sevillano, ha creado una máquina capaz de producir 3000 litros de agua potable al día en el desierto.

### Laura Esquivel

Escritora mexicana nacida en la ciudad de México, se ha dedicado a la docencia y ha escrito, además de novelas, obras de teatro infantil y guiones de cine. Su primera novela, *Como agua para chocolate* (1989), entusiasmó por la atmósfera que creó la autora para narrar la historia de un amor imposible e imperecedero en el ámbito tradicionalmente femenino por excelencia: la cocina y sus hechizos. No se trata ya de realismo mágico, sino de magia directa. La novela fue traducida a más de treinta idiomas. Laura Esquivel ha seguido escribiendo otras obras, como *La ley del amor* (1995) o su libro de cuentos *Íntimas suculencias* (1998), una recopilación de relatos acompañada de recetas de cocina en donde retoma la consigna de que desde la cocina se puede transformar el mundo.

## EXPOSICIÓN ORAL
VAMOS A PREPARAR UNA EXPOSICIÓN ORAL DE CUATRO MINUTOS SOBRE UN TEMA DE ACTUALIDAD O SOBRE UN PRODUCTO U OBJETO CURIOSO.

### ¿QUÉ NECESITAMOS?

**En papel**
- ✔ Fotografías (vuestras o de revistas) y/o dibujos
- ✔ Una cartulina grande o varias
- ✔ Tijeras y pegamento

**Con ordenador**

- ✔ Fotografías o dibujos digitales
- ✔ Un proyector en clase

**A.** En grupos de cuatro, escoged un tema de actualidad (el petróleo, la energía solar, el plástico, etc.) o un producto u objeto curioso (las algas, el mate, el botijo, etc.) y escribid una lista de las razones por las que habéis elegido hablar de este tema.

**B.** Buscad información sobre el tema en internet, escribid un guion de la exposición y distribuíos los diferentes apartados. Buscad fotografías o imágenes para ilustrar vuestra conferencia durante la exposición.

**C.** Ensayad la conferencia para que se ajuste al tiempo y para que podáis hacerla sin leer los apuntes. Haréis vuestra exposición oral y los demás os observarán siguiendo la pauta que hemos elaborado en la unidad.

**D.** Entre toda la clase, decidid cuál es la mejor exposición y por qué lo es.

## EL WIKI DE LA CLASE
VAMOS A CREAR UN WIKI DE LA CLASE SOBRE UN TEMA ESCOGIDO ENTRE TODOS.

**A.** Elegid entre todos el tema del *wiki* que vais a escribir. Tiene que ser algo que os interese a todos: un invento actual, un producto, vuestra ciudad, algo de geografía, etc.

**B.** Dividid el tema en tantos aspectos como grupos de clase hayáis formado en la exposición oral, ya que cada grupo va a escribir un pequeño texto sobre el aspecto que le haya sido asignado.

**C.** Inscribíos en alguna de las plataformas gratuitas para escribir *wikis* en internet.

**D.** Cada grupo escribirá su parte añadiendo imágenes y enlaces para ilustrar el tema.

## 📖 COMPRENSIÓN LECTORA

**1.** Lee estos textos e indica si las afirmaciones de abajo se refieren al arroz, al maíz o a ambos cereales.

### EL ARROZ

El **arroz** es un cereal considerado alimento básico en muchas culturas culinarias (en especial la cocina asiática), así como en algunas partes de América Latina. Su origen es objeto de discusión entre los investigadores, puesto que se discute si fue China o la India. El arroz es el segundo cereal más producido en el mundo, tras el maíz. Sin embargo, debido a que el maíz se produce con otros muchos propósitos aparte del consumo humano, se puede decir que el arroz es el cereal más importante en la alimentación humana y que contribuye de forma muy efectiva al aporte calórico de la dieta humana actual; es decir, es la fuente de una quinta parte de las calorías consumidas en el mundo. En países como Bangladés y Camboya, el arroz puede llegar a representar casi las tres cuartas partes de la alimentación de la población.

### EL MAÍZ

El **maíz** es una especie de cereal originario de América y, como otros muchos productos, se introdujo en Europa en el siglo XVII. Como no sirve solo para la alimentación, sino también para usos industriales (ya que a partir de él se puede fabricar biocombustible), actualmente es el cereal con el mayor volumen de producción a nivel mundial, superando incluso al trigo y al arroz en hectáreas de cultivo.

No se conoce con exactitud el origen geográfico concreto del maíz dentro del continente americano. Unos investigadores lo sitúan en México y otros, en Perú. De lo que no hay duda, según las investigaciones arqueológicas, es de que el maíz tuvo un papel importante en la alimentación y en las ceremonias religiosas de los mayas y de los incas. Hoy en día el maíz forma parte de la dieta de casi todos los países del mundo. México, Guatemala, Sudáfrica, Zimbabue, Zambia y Malaui encabezan la lista de los principales consumidores de maíz.

▶ Es el cereal más consumido como alimento.
▶ Es el cereal que más se produce.
▶ Tuvo un significado religioso.
▶ Se debate el lugar exacto de su origen.
▶ Es importante para culturas muy diferentes.
▶ Tiene importantes aplicaciones no alimentarias.

## 🔊 COMPRENSIÓN ORAL

Pista 51

**3.** Escucha las descripciones de estos tres inventos y relaciónalos con las imágenes.

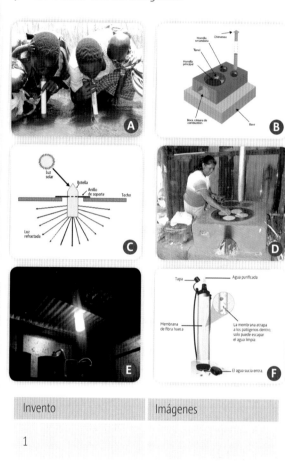

| Invento | Imágenes |
|---------|----------|
| 1 | |
| 2 | |
| 3 | |

## ✍️ EXPRESIÓN ESCRITA

**4.** Piensa en algún invento que haya mejorado un problema de la sociedad. Descríbelo y haz un esquema de su funcionamiento.

## 🗣️ EXPRESIÓN ORAL

**2.** Presenta a la clase una fruta o verdura que te guste mucho. Prepara tu exposición con todo detalle y siguiendo las normas de un buen orador. Habla durante dos minutos de su origen, su nombre, en qué países se cultiva, etc.

## 💬 INTERACCIÓN ORAL

**5.** En parejas, haced una lista de 5 inventos que hayan contribuido a la mejora de las condiciones de vida de la sociedad. Luego, ordenadlos de más a menos importantes. Colgad vuestra lista en la clase y exponedlos.

NUESTRO PROYECTO:
VAMOS A ESCRIBIR UN POEMA INSPIRADOS POR UN CUADRO Y A PRESENTARLO A LA CLASE DE FORMA CREATIVA.

## VAMOS A...

 leer poesía escrita y poemas visuales, y a comprender las características de los textos poéticos;

 escuchar poesía recitada y poemas musicados y a escuchar un rap;

 hablar sobre poesía, explicar nuestras emociones y recitar poemas;

 evocar sensaciones y recuerdos y a observar la poesía que nos rodea;

 reconstruir poemas y a escribir un poema coral (por grupos) sobre un cuadro.

## VAMOS A APRENDER...

- algunos recursos poéticos (la **repetición**, la **rima**, el **símil** o **comparación** y la **metáfora**);
- las reglas de acentuación;
- la tilde diacrítica;
- los diptongos;
- recursos para evocar sensaciones y recuerdos;
- algunas reglas de puntuación.

---

**1**

CÓRDOBA, 29 DE JULIO DE 1903

## Pelea Mortal

Alertada por un denunciante anónimo, la Guardia Civil encontró el cadáver de un hombre con heridas de arma blanca, probablemente una navaja, en el fondo del barranco del río Guadajoz, cerca del camino que une las localidades de Ízcar y Castro del Río. El cadáver fue identificado como el de J. A. Gálvez, de 29 años, natural y vecino de la localidad cercana de Montilla. Algunos vecinos de Castro del Río han explicado a los reporteros de este periódico que el difunto fue herido mortalmente en el transcurso de una pelea entre él y otro joven causada por una rivalidad familiar. La pelea tuvo lugar en el paraje llamado El olivar de Encija, en presencia de varias mujeres y varios hombres, miembros de las dos familias, que llegaron montados a caballo desde los pueblos cercanos.

**2**

tu boca que es tuya y mía
tu boca no se equivoca
te quiero porque tu boca
sabe gritar rebeldía

**3**

El 20 de julio de 1969, Neil Armstrong se convirtió en el primer hombre que pisó la Luna. Fue seguido por Edwin Aldrin, ambos pertenecientes a la misión Apollo 11.

Los astronautas experimentaron la diferencia de la gravedad. La gravedad lunar es un sexto de la gravedad terrestre, es decir, un hombre que pese unos 82 kg en la Tierra, pesará solo 14 kg en la Luna.

**4**

## ESTADO DE LA MAR
### Golfo de México
PREVISIÓN PARA ESTA SEMANA
Vientos débiles de fuerza 2 en el este y el noroeste. Fuerza 2 a 3 en el norte; 3 a 4 en el sur. De marejada a marejadilla. Buena visibilidad.

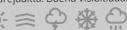

**5**

TENGO MIEDO DE VERTE
NECESIDAD DE VERTE
ESPERANZA DE VERTE
DESAZONES DE VERTE.

En la mitad del barranco
las navajas de Albacete,
bellas de sangre contraria,
relucen como los peces.
Una dura luz de naipe
recorta en el agrio verde,
caballos enfurecidos
y perfiles de jinetes.
En la copa de un olivo
lloran dos viejas mujeres.

El toro de la reyerta
se sube por la paredes.
Ángeles negros traían
pañuelos y agua de nieve.
Ángeles con grandes alas
de navajas de Albacete.
Juan Antonio el de Montilla
rueda muerto la pendiente,
su cuerpo lleno de lirios
y una granada en las sienes.

**6**

**7**

El mar, el mar y tú, plural espejo, el mar de torso
perezoso y lento nadando por el mar, del mar
sediento: el mar que muere y nace en un reflejo.

**8**

La luna se puede tomar a
cucharadas o como una
cápsula cada dos horas.
Es buena como hipnótico
y sedante y también
alivia a los que se han
intoxicado de filosofía.
Un pedazo de luna en el bolsillo es mejor
amuleto que la pata de conejo:
sirve para encontrar a quien se ama, y
para alejar a los médicos y las clínicas.
Se puede dar de postre a los niños
cuando no se han dormido.

**9**

**átomo.** (*Del lat. atomus, y este del gr.* ἄτομον *átomon*)
**1. m.** *Fís.* Y *Quím.*
Cantidad menor de un elemento químico que tiene
existencia propia y se consideró indivisible. Se compone
de un núcleo, con protones y neutrones, y de electrones
orbitales, en número característico para cada elemento
químico. || **2. m.** Partícula material de pequeñez
extremada.

**10**

*Pequeñísima estrella,
parecías para siempre
enterrada en el metal:
oculto, tu diabólico fuego.*

Para: 'Celina'

Asunto: feliz contigo

**11**

MI AMOR
Hola, mi amor 😍, te escribo para decirte lo
feliz que me siento por haber encontrado la
felicidad junto a ti. 🖤🖤 Estoy enamorado de
ti y no sabes cuánto, espero que me quieras
cada día. Estoy feliz pero también tengo
miedo de perderte 😭😳 y de que me dejes,
porque dañarías mi vida 😣😥. Te quiero, te
adoro.🖤 Tengo miedo y soy feliz. Soy feliz y
tengo miedo. ¡Qué lío!😅

## ¿Qué es poesía?

**A.** ¿Cuáles de estos textos hablan del
mismo tema?

**B.** ¿Cuáles de estos textos crees que
son poemas?

**C.** ¿Por qué crees que son poemas?

▸ Porque tienen palabras más difíciles.
▸ Porque hay palabras que se repiten.
▸ Porque hay palabras que riman.
▸ Porque las frases tienen un ritmo.
▸ Porque las palabras son más bonitas.
▸ Porque las palabras están dispuestas en
  líneas cortas, unas debajo de otras.
▸ ...

**12**

## 1. LA POESÍA Y TÚ

**A.** ¿Qué piensas sobre la poesía? Copia en tu cuaderno las frases de esta lista que reflejan tus opiniones.

▸ A mí no me gusta nada.
▸ Yo pienso que la poesía es cursi.
▸ Para mí, escribir poesía es muy difícil.
▸ Yo no la entiendo.
▸ A mí no me dice nada.
▸ Yo nunca he escrito un poema.
▸ Yo a veces escribo poesía.
▸ Alguna vez alguien me ha enviado un poema.
▸ La poesía solo trata de tres temas: el amor, la vida y la muerte.
▸ Yo conozco una poesía de memoria en mi idioma.
▸ Hay poesías que me gustan mucho.
▸ Las poesías me ayudan cuando estoy triste.
▸ A veces las poesías expresan lo que yo no sé expresar.
▸ A mí me apasiona leer y escribir poesías.

**B.** Ahora habla con tu compañero, contrastad vuestras opiniones y luego explicádselo al resto de la clase.

*Ella piensa que la poesía es muy difícil de entender y yo pienso que, a veces, la poesía expresa lo que yo no sé expresar...*

### HABLAR DE GUSTOS

(A mí) **me apasiona / encanta**...
(A mí) **me gusta** (**mucho / bastante**)...
(A mí) **no me gusta** (**demasiado / nada**)...
Yo **odio / detesto**...
● *A mí **me encanta** leer poemas.*
○ *Pues a mí **no me gusta** demasiado.*
■ *Pues yo **odio** la poesía.*

## 2. POESÍA Y MÚSICA

▸ CE: 2 (p. 62)

Pistas 52-53

**A.** Escucha estos dos poemas. Marca cuáles de las siguientes palabras del pentagrama puedes escuchar.

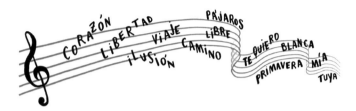

CORAZÓN LIBERTAD VIAJE PÁJAROS LIBRE ILUSIÓN CAMINO TE QUIERO BLANCA PRIMAVERA MÍA TUYA

Pistas 52-53

**B.** Ahora formad pequeños grupos y escuchad de nuevo los poemas prestando atención. Luego comentad los puntos siguientes.

▸ ¿Cuál de las dos os gusta más?
▸ ¿Por qué? ¿Por el ritmo? ¿Por las palabras? ¿Por la música?

**C.** El profesor os pasará la transcripción de los dos poemas. Elige uno, memoriza un fragmento y recítalo en voz alta. Para ello, escoge una música de fondo que te guste.

**D.** Las letras de muchas canciones famosas son en realidad poemas a los que se les ha puesto música. En grupos, buscad alguna en internet, imprimid la letra para vuestros compañeros y escuchadla en clase. Luego, elegid la que más os guste y aprendedla entre todos.

"poema musicado" 🔍

### RECURSOS POÉTICOS I ▸ CE: 3 (p. 62), 4 (p. 63)

LA REPETICIÓN
*Dame la mano y danzaremos;*
*dame la mano y me amarás.*
*Como una sola flor seremos,*
*como una flor, y nada más.*

## 3. RIMAS

▶ CE: 3 (p. 62), 4 (p. 63)

 **A.** En parejas, leed los siguientes poemas de amor. ¿Cuál os gusta más?

### CANCIÓN DE AMOR

*Amor, deja que me vaya,*
*déjame morir, amor.*
*Tú eres el mar y la playa.*
*Amor.*
*Amor, déjame la vida,*
*no dejes que muera, amor.*
*Tú eres mi luz escondida.*
*Amor.*
*Amor, déjame quererte.*
*Abre las fuentes, amor.*
*Mis labios quieren beberte.*
*Amor.*
*Amor, está anocheciendo.*
*Duermen las flores, amor,*
*y tú estás amaneciendo.*
*Amor.*

**Rafael Alberti**

### DAME LA MANO

*Dame la mano y danzaremos;*
*dame la mano y me amarás.*
*Como una sola flor seremos,*
*como una flor, y nada más...*

*El mismo verso cantaremos,*
*al mismo paso bailarás.*
*Como una espiga ondularemos,*
*como una espiga, y nada más.*

*Te llamas Rosa y yo Esperanza;*
*pero tu nombre olvidarás,*
*porque seremos una danza*
*en la colina y nada más...*

**Gabriela Mistral**

 **B.** Haced listas con las palabras que riman en cada poema y pintad las rimas de distintos colores.

VAYA PLAYA

ENTERA NEGRA

AMARÁS NADA MÁS

AZUL TÚ

 **C.** Ahora haced una lista de palabras que rimen con las palabras siguientes.

luna | amor | arena | lágrimas

soledad | emoción | alma

### QUIÉREME ENTERA...

*Si me quieres, quiéreme entera,*
*no por zonas de luz o sombra...*
*Si me quieres, quiéreme negra*
*y blanca. Y gris, y verde, y rubia,*
*y morena...*
*Quiéreme día,*
*quiéreme noche...*
*¡Y madrugada en la ventana*
*abierta!*

*Si me quieres, no me recortes:*
*¡quiéreme toda... o no me quieras!*

**Dulce María Loynaz**

### RIMA XXI

*¿Qué es poesía?, dices mientras clavas*
*en mi pupila tu pupila azul.*
*¿Qué es poesía? ¿Y tú me lo preguntas?*
*Poesía... eres tú.*

**Gustavo Adolfo Bécquer**

**APRENDER A APRENDER**
No es preciso entender todas las palabras. La **música**, el ritmo, los **sonidos** son parte de la poesía. Déjate llevar. Si el vocabulario te parece muy difícil y crees que necesitas entenderlo, antes de mirar el diccionario piensa en qué puede querer decir.

### LA RIMA
Repetición de sonidos al final del verso a partir de la última vocal acentuada (e incluida esta).

| | |
|---|---|
| **rima consonante:** se repiten todas las vocales y las consonantes de las sílabas | *Dame la mano y danzar**emos**;*<br>*dame la mano y me am**arás**.*<br>*Como una sola flor ser**emos**,*<br>*como una flor, y nada más.* |
| **rima asonante:** se repiten una o dos vocales, pero las consonantes son distintas o coinciden solo parcialmente | *Si me quieres, quiéreme ent**era**;*<br>*no por zonas de luz o sombra...*<br>*Si me quieres, quiéreme n**egra***<br>*y blanca. Y gris, y verde, y rubia,*<br>*y mor**ena**.* |

**MINIPROYECTO**

Elegid un poema de la actividad 3 y cambiad algunas palabras por otras que os gusten. Los versos deben rimar, en consonante o asonante. Luego, escribid el poema en un cartel, ilustradlo con alguna fotografía o dibujo y colgadlo en la clase.

## 4. LAS NUBES SON COMO PAÑUELOS ▶ CE: 5 (p. 64)

 **A.** ¿En qué te hacen pensar estas palabras? Trabaja con un compañero y haced una lista de asociaciones.

| primavera | verano | luna | campos |

- A mí, la primavera me parece...
- A mí, me hace pensar en...

 **B.** Lee atentamente estos fragmentos de poemas y escribe en la tabla con qué se comparan los elementos siguientes.

| Las nubes | pañuelos blancos |
|---|---|
| Las barcas en la playa | |
| Los letreros de neón | |
| El océano | |
| Los pájaros | |
| Nicaragua | |

*Como pañuelos blancos de adiós viajan las nubes...*

*Pablo Neruda*

CAMINABA DESPACIO POR UN
SUELO HELADO, RESBALADIZO.
APENAS VEÍA.
LOS ESCAPARATES ESTABAN
APAGADOS.
LOS LETREROS DE NEÓN
PARECÍAN PAYASOS INERTES,
SIN GRACIA, PROVISTOS DE
TRAJES NEGROS.

*Ariadna García*

¿Qué sos* Nicaragua?
¿Qué sos
sino un triangulito de tierra
perdido en la mitad del mundo? [...]

¿Qué sos
sino un ruido de ríos
llevándose las piedras pulidas y brillantes
dejando pisadas de agua por los montes?

*Gioconda Belli*
*En Nicaragua se emplea el voseo.*

## RECURSOS POÉTICOS II: COMPARAR O RELACIONAR ▶ CE: 3 (p. 62), 4 (p. 63), 5 (p. 64)

Hay dos recursos del lenguaje muy usados en poesía que consisten en relacionar objetos o ideas a partir de sus semejanzas.

### LA METÁFORA
Es la sustitución directa de una idea por otra con la que la identificamos.
*Tú **eres el mar y la playa**.*

### LA COMPARACIÓN O SÍMIL
Los dos términos de la comparación van unidos por el adverbio **como**.
*Las barcas, de dos en dos, **como** sandalias del viento.*

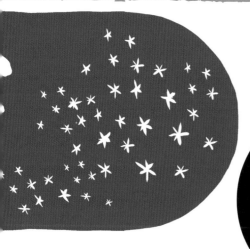

La noche
es un charco redondo
un charco profundo
un charco sin fondo
el charco más hondo
del mundo.

*Gerardo Beltrán*

Los pájaros no tienen dientes,
con el pico se apañan.
Los pájaros pescan peces
sin red ni caña.
Los pájaros, como los ángeles,
tienen alas.
Los pájaros son artistas
cuando cantan.
Los pájaros colorean el aire
por la mañana.
Por la noche
son músicos dormidos
en las ramas.
Da pena ver a un pájaro en la jaula.

*Gloria Fuertes*

## Las barcas, de dos en dos, como sandalias del viento, puestas a secar al sol.

*Manuel Altoaguirre*

**C. Comenta estos puntos con un compañero.**

▸ ¿Por qué dice Gloria Fuertes que los pájaros son músicos y son ángeles?

▸ ¿Por qué para Gioconda Belli Nicaragua es ruido de ríos?

▸ ¿Qué sensación os evocan estos letreros de neón que "parecen payasos inertes, sin gracia, provistos de trajes negros"?

Novia del campo, amapola
que estás abierta en el trigo;
amapolita, amapola
¿te quieres casar conmigo?

*Juan Ramón Jiménez*

### MINIPROYECTO

Juguemos a las metáforas. En parejas, cada uno pensará cuatro palabras: un animal, un objeto, una parte del cuerpo y una emoción. Leed las palabras a vuestros compañeros, que deberán buscar una metáfora rápidamente. Dejaos llevar por las sensaciones de formas, olores y colores.

## HABLAR DE SENSACIONES Y EVOCAR RECUERDOS

**ME HACE/N PENSAR EN / PIENSO EN**
*Cuando veo fuego **pienso en** el invierno.*
*Las rocas **me hacen pensar en** la playa.*

**ME DA/N SENSACIÓN DE**
*El mar **me da sensación de** libertad.*
*Los lagos **me dan sensación de** calma.*

**ME RECUERDA/N A**
*Las lágrimas **me recuerdan a** la lluvia.*
*El chocolate caliente **me recuerda al** olor de la cocina de mi abuela.*

## 5. POESÍA Y SIGNOS DE PUNTUACIÓN ▶ CE: 6 (p. 65)

 **A.** Trabaja con un compañero. ¿Conocéis los nombres en español de estos signos de puntuación?

 **B.** Señala los signos de puntuación de este poema. ¿Cuál es la función de cada uno?

> Del salón en el ángulo oscuro,
> de su dueño tal vez olvidada,
> silenciosa y cubierta de polvo
> veíase el arpa.
>
> ¡Cuánta nota dormía en sus cuerdas,
> como el pájaro duerme en las ramas,
> esperando la mano de nieve
> que sabe arrancarlas!
>
> ¡Ay! -pensé-. ¡Cuántas veces el genio
> así duerme en el fondo del alma,
> y una voz, como Lázaro, espera
> que le diga: «Levántate y anda»!
>
> Gustavo Adolfo Bécquer

**C.** Con un compañero, intentad completar este poema con los nombres de los signos de puntuación que os parezcan adecuados en cada caso.

**DOS PUNTOS**

Dos personas se encuentran, se gustan, se miran como dos ...
El azar necesario que redacta las historias de amor colocará la y griega entre sus nombres.
Desde entonces los días serán ...
Las despedidas, ...
Las crisis, ...
Después de cada crisis
si quieren seguir siendo primera persona del plural tendrán que ser ...
Periodos pasarán entre ...
"Cosas" confesarán entre ...
Todo lo que se digan
será siempre guiado por ...
Los encuentros, los besos,
los abrazos más íntimos
serán sus ...
Y mientras tanto alrededor el mundo
se les irá a poco convirtiendo
en un rumor de ...

*Juan Vicente Piqueras*

 **D.** Comprobad vuestras hipótesis. Luego, con el compañero, leed el poema en voz alta, imitando el modelo de la audición.
Pista 54

### SIGNOS DE PUNTUACIÓN ▶ CE: 6 (p. 65)

**LA COMA** ,
Representa una pausa breve y separa partes dentro de una frase.
*Te quiero, te adoro.*

**EL PUNTO** .
Representa una pausa más larga que la coma e indica el final de una frase.
*Tengo miedo y soy feliz.*

**LOS DOS PUNTOS** :
Detienen el discurso para llamar la atención sobre lo que va a continuación.
*(...) enterrada en el metal: oculto, tu diabólico fuego.*

**LOS PUNTOS SUSPENSIVOS** ...
Sirven para interrumpir el discurso, dejándolo en suspenso.
*Yo triste, tú triste...*

**EL GUION** –
Une palabras o establece relaciones entre ellas.
*Lucha pacifista contra todo tipo de armamento y por la no-violencia.*

**EL PARÉNTESIS** ( )
Sirve para hacer aclaraciones dentro de una frase.
*átomo. (Del lat. atomus, y este del gr. ἄτομον).*

## 6. POESÍA COTIDIANA

 **A.** Lee estos poemas y di dónde podríamos encontrarlos.

**Carlos** @hypervoila · 5 de jul.
Te amo 24 horas por segundo.
39   78

**1**

**2**
NUNCA PARE DE AMAR

©AcciónPoéticaMedellín

**L Q AVISA NO S TRAIDOR**

Sta manera tuya
d leerm n voz alta
pued akbar n boda

**3**

**4**

la vida cama noche **contigo** **es** **más** **divertid a**
ciudad lluvia mañana

**5**

 **B.** ¿Cuál te gusta más? ¿Por qué?

 **C.** Pensad en vuestra vida cotidiana. ¿Dónde encontráis poesía? ¿Creéis que es necesaria para la vida?

PALABRAS DE AMOR
LISTAS PARA USAR
TE QUIERO · TE DESEO · TE ADORO · COMO LA LUZ DE · MUERO POR TI · TE ECHO DE MENOS · CARIÑO · CORAZÓN · SIEMPRE TE A...
Publicaciones/Diputación Badajoz
Autor: Francisco Vila Guillén

©Francisco Vila Guillén

## 7. POESÍA VISUAL

▶ CE: 1 (p. 67), 2 (p. 68)

En grupos, observad estas dos poesías visuales y describidlas. ¿Cómo las interpretáis?

©Beatriz Parrado

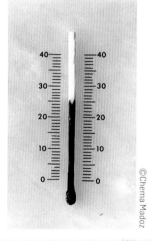
©Chema Madoz

**¿SABES QUE...?**

La **poesía visual** es una forma de expresión artística caracterizada, en general, por la combinación de la palabra y la imagen. Es un género artístico, normalmente de pequeño formato, que a partir de unos pocos elementos y unos mínimos requisitos materiales, tiene la capacidad de producir un gran impacto.

**LAS COMILLAS** " "
Sirven para marcar palabras dichas por otras personas o sobre las que queremos llamar la atención.
*La respuesta fue: "los escombros".*
*"Cosas" confesarán entre comillas.*

**LOS SIGNOS DE INTERROGACIÓN** ¿ ?
Abren y cierran una oración interrogativa, una pregunta.
*¿Qué es poesía?*

**LOS SIGNOS DE EXCLAMACIÓN** ¡ !
Abren y cierran una oración exclamativa.
*Soy feliz y tengo miedo. ¡Qué lío!*

**MINIPROYECTO**

Crea con tu compañero tu propia poesía visual. Haced un cartel con la imagen, ponedle un título detrás y colgadlas en las paredes de la clase. Vuestros compañeros intentarán adivinar el título.

## PALABRAS CON PALABRAS

▶ CE: 1 (p. 66)

**1.** Estas palabras aparecen en los poemas de la unidad. ¿Con qué otras palabras las relacionarías?

luna

amor

inmenso, ...

navegar, ...

mar

prado

pájaro

**2.** ¿Cuáles te gustan más?
¿Cuáles te parecen más poéticas?

## PRINCIPALES RECURSOS POÉTICOS ▶ CE: 3 (p. 62), 4 (p. 63), 5 (p. 64)

### LA REPETICIÓN
Este recurso consiste en repetir una palabra, una frase, un estribillo, una pregunta... para dar mayor ritmo o dramatismo a los poemas.

### LA RIMA
Consiste en la repetición de fonemas al final del verso, a partir de la última vocal acentuada (e incluida esta).
**Rima consonante:** se repiten todas las vocales y las consonantes de las sílabas que riman.
**Rima asonante:** se repiten solo una o dos vocales.

### LA COMPARACIÓN O SÍMIL
Se comparan dos términos mediante el adverbio **como**.

### LA METÁFORA
Es la sustitución de una palabra por otra, porque entre estas dos palabras hay similitudes.

> Amor, deja que me vaya,
> déjame morir, amor.
> **Tú eres el mar y la playa.**
> Amor.
> Amor, déjame la vida,
> no dejes que muera, amor.
> **Tú eres mi luz escondida.**
> Amor. (...)
>
> Rafael Alberti

repetición

metáfora

rima

**3.** Relaciona estos recursos poéticos con los siguientes fragmentos de poesías.

*Si me quieres, quiéreme <u>entera</u>,
no por zonas de luz o sombra...
Si me quieres, quiéreme <u>negra</u>
y blanca. Y gris, y verde, y rubia,
y <u>morena</u>...*
Dulce María Loynaz

*Unos cuerpos son <u>como flores</u>
otros <u>como puñales</u> (...)*
Luis Cernuda

*El mar, el mar y <u>tú, plural espejo</u>, (...)*
Octavio Paz

*Tengo miedo de <u>verte</u>
necesidad de <u>verte</u>
esperanza de <u>verte</u>
desazones de <u>verte</u>.*
Mario Benedetti

*La noche
es un <u>charco</u> redondo
un <u>charco</u> profundo
un <u>charco</u> sin fondo
el <u>charco</u> más hondo
del mundo.*
Gerardo Beltrán

rima

metáfora

repetición

comparación

## LA SÍLABA ▶ CE: 6 (p. 65)
### SÍLABAS TÓNICAS Y ÁTONAS
Las palabras se dividen en sílabas:
ma-ri-po-sa

Hay sílabas **tónicas** (o fuertes), que son las que se pronuncian con mayor intensidad, y sílabas **átonas**, que son todas las demás:
ma-ri-**po**-sa

Esta diferencia entre sílabas tónicas y átonas es la base del ritmo y la entonación de la poesía.

Según la posición de la sílaba tónica, las palabras pueden ser agudas, llanas o esdrújulas.

**Agudas:** la sílaba fuerte es la última.
cora**zón**, liber**tad**, fe**liz**, ama**rás**
**Llanas:** la sílaba fuerte es la penúltima.
**san**gre, **nai**pe, di**fí**cil
**Esdrújulas:** la sílaba fuerte es la antepenúltima.
**án**geles, dia**bó**licas, o**cé**ano

### EL DIPTONGO
Un diptongo es un conjunto formado por una vocal abierta (**a**, **e**, **o**) y una cerrada (**i**, **u**), o bien por dos cerradas (**i**, **u**) en una misma sílaba.
**ai**-re / **mue**-vo / **rui**-do / **diur**-no

Si tenemos una vocal abierta y una cerrada y la sílaba tónica recae sobre la vocal cerrada, esta se acentúa:
Ma-r**í**-a / ~~Ma-ria~~; po-e-s**í**-a / ~~po-e-sia~~

---

**4.** Separa las sílabas de las siguiente palabras y después subraya la sílaba tónica.

| | | | | | |
|---|---|---|---|---|---|
| tímido | *tí-mi-do* | bicicleta | | fiesta | *fies-ta* | países |
| ordenador | | periódico | | comprar | | veintiséis |
| puerta | | universidad | | caramelo | | sintiendo |
| televisor | | prohibido | | escuela | | quiropráctico |

---

## LAS REGLAS DE ACENTUACIÓN ▶ CE: 7 (p. 65)
### LA TILDE (´)
La tilde es el **acento gráfico**. Se coloca encima de una de las vocales que forman la sílaba tónica. Las reglas de acentuación son:
**Agudas:** llevan tilde todas las palabras que terminan en **vocal**, **vocal + n** o **vocal + s**: cora**zón**, ama**rás**.
**Llanas:** llevan tilde todas las palabras que no terminan en **vocal**, **vocal + n** ni **vocal + s**: di**fí**cil, ca**dá**ver.
**Esdrújulas:** siempre llevan tilde: **án**geles, dia**bó**licas, o**cé**ano.

### LA TILDE DIACRÍTICA
Las palabras monosílabas no llevan nunca tilde, excepto unas cuantas que se acentúan para diferenciarse de otras que se escriben igual.
*Me gusta **tu** hermano. Me gustas **tú**.*

● *Digo lo **que** veo y lo **que** pienso.*
○ *¿Y **qué** ves? ¿**Qué** piensas?*

**5.** Coloca las tildes en el siguiente diálogo.

● *Hola, Buenas tardes. ¿Que van a tomar?*
○ *Hola. Yo, un cafe con leche. ¿Y tu, Miguel?*
● *Para mi, un cafe solo. Oye, Ana, y tu hermano pequeño... ¿no toma nada?*
○ *Si, para el un chocolate, que se ha portado muy bien.*

## SIGNOS DE PUNTUACIÓN
**COMA** ,
Representa una pausa breve y separa partes dentro de una frase.

**PUNTO** .
Pausa más larga que la coma. Indica el final de una frase.

**DOS PUNTOS** :
Introducen citas o una enumeración.

**PUNTOS SUSPENSIVOS** ...
Interrumpen el discurso, dejándolo en suspenso.

**GUION** –
Une palabras o establece relaciones entre ellas.

**PARÉNTESIS** ( )
Intercala aclaraciones dentro de una frase.

**COMILLAS** " "
Sirven para marcar palabras dichas por otras personas o sobre las que queremos llamar la atención.

**SIGNOS DE INTERROGACIÓN** ¿ ?
Abren y cierran una oración interrogativa, una pregunta.

**SIGNOS DE EXCLAMACIÓN** ¡ !
Abren y cierran una oración exclamativa.

**6.** Señala las diferencias de significado entre estas frases en las que se han utilizado diferentes signos de puntuación. Compara con tu compañero.

▶ María puede venir a clase el lunes.
▶ María, ¿puede venir a clase el lunes?
▶ ¡María puede venir a clase el lunes!

▶ No tenemos información sobre ese tema.
▶ No tenemos información sobre ese tema...
▶ No tenemos información "sobre ese tema".

# El arte de conmover con pocas palabras

**Ajo** (seudónimo de María José Martín de la Hoz). Poetisa, cantante (es una de las fundadoras del grupo Mil dolores pequeños), agitadora y personaje de referencia de la cultura *underground* de Madrid.

A su trabajo poético Ajo lo denomina micropoesía y, como indica la nomenclatura, sus poemas son breves, punzantes y llenos de ironía y sarcasmo, pero también de humor y ternura. Desde 2001 es codirectora del festival de música experimental Experimentaclub y del festival de poesía Yuxtaposiciones, ambos con sede en La Casa Encendida de Madrid. En los últimos años se ha centrado en su actividad poética, tanto en sus colaboraciones con Mastretta como en sus colaboraciones en radio y televisión. Sus micropoemas han sido, además, protagonistas de las dos últimas campañas de autopromoción en la cadena de televisión La Sexta. Sus libros de micropoemas son un fenómeno editorial.

**Adaptado de:** http://www.irreconciliables.com y http://herboristeriasabiasavia.blogspot.com.es.

Vendo agendas pequeñas para gente de pocos amigos.

Siempre, siempre, siempre, siempre, siempre, siempre, siempre, siempre, siempre, y aún así parece poco.

La poesía es un arma cargada de futuro. La micropoesía es un arma cargada de pasado imperfecto.

Qué ganas me dieron anoche de desenchufar la luna y salir corriendo a la calle para quejarme a oscuras.

No hay peligro suficiente para tanto miedo como tenemos.

*Micropoemas 1, 2 y 3.* © Ajo

© Boamistura

Algunos de sus micropoemas fueron utilizados en el proyecto artístico "Te comería a versos", del colectivo Boamistura, en los pasos de peatones de las calles de Madrid y Barcelona.

las cosas más importantes no son cosas

**Ester Partegàs**
Las cosas más importantes, 2005
acero, esmalte
55,9 x 55,9 cm
Cortesía de la Galería Helga de Alvear, Madrid

© Ester Partegàs

## Las cosas más importantes

Esta es una de las obras expuestas en ARCO 2006, la Feria Internacional de Arte Contemporáneo que se celebra anualmente en Madrid. En la feria se puede ver lo más interesante y novedoso del panorama artístico nacional e internacional.

# ESCOMBROS

*rubble or debris*

Escombros es un grupo de artistas argentinos muy comprometido con la lucha y denuncia permanentemente con sus obras las condiciones de injusticia en la que viven los hombres, mujeres y niños de Argentina y América Latina. Analizando la situación social, política y económica del país, los artistas fundadores del grupo se preguntaron qué quedaría de este. La respuesta fue: "los escombros". Ese día el grupo adquirió su nombre.

Utilizan todo tipo de recursos artísticos: instalaciones, pintadas, esculturas, acciones, poemas objetos, páginas web, fondos de pantalla, incluso sellos. La mayoría de las obras se realizan al aire libre, una calle, una plaza, una cava, un arroyo urbano. Están dirigidas a todo tipo de público, sin excepción; trabajan con otros artistas y/o con los espectadores, que de esta manera se convierten en coautores de sus propuestas.

Una de sus actuaciones fue una escultura hecha con armas retiradas de la circulación. Con ella, el grupo colaboró en la campaña de Lidia Burry (que entonces tenía 80 años), llamada "la abuela de las armas" por su lucha pacifista contra todo tipo de armamento y por la no-violencia.

© Escombros y Lidia Burry

En la escultura se lee:

CADA ARMA DESTRUIDA
es un hijo que no verá
asesinar a su padre.
Es un padre que no pagará
rescate por su hijo.
Es una mujer que no será violada.
Es una familia que no será rehén.
Es una casa que no será robada.
CADA ARMA DESTRUIDA
es una victoria de la vida
sobre la muerte.

Escombros y Lidia Burry

LÁGRIMAS DE LOS QUE NO PUEDEN EDUCARSE.

© Escombros

En 2003 lanzaron la exposición virtual País de lágrimas: la exposición mostraba una sucesión de fotografías de bolsitas llenas de lágrimas. En cada bolsita se podía leer una inscripción: "Lágrimas de los chicos que mueren de hambre", "Lágrimas de los que comen basura y visten harapos", "Lágrimas de los que no pueden educarse", "Lágrimas de aquellos a los que les robaron el futuro". "Lágrimas de los que mueren de enfermedades curables" y "Lágrimas de los que no tienen ni tendrán trabajo". Al final de la sucesión de imágenes se lee el texto: "En la Argentina hay 21 millones de pobres. 10 millones viven en extrema pobreza".

**Adaptado de:** www.grupoescombros.com.ar

## CANCIÓN

### Yo aprendí

Pista 55

Yo aprendí que la mayoría de las veces
las cosas no son lo que parecen,
que somos una especie que se especializa en mentir
para, así, construir un porvenir con mentiras.
Cuenta cuántas veces hacemos desaparecer
con solo una frase lo que no quisiéramos perder.
Se nos va la vida, vamos dejando correr
el tren con el amor que solo pasa una vez. [...]

Fragmento del tema **"Yo aprendí"**, del álbum *Polvo de la humanidad*.

Letra y música: Danay Suárez.

# MUCHACHA EN LA VENTANA
## VAMOS A ESCRIBIR UN POEMA INSPIRADOS POR UN CUADRO Y A PRESENTARLO A LA CLASE DE FORMA CREATIVA.

### ¿QUÉ NECESITAMOS?

**En papel**
- ✔ Papel blanco o de colores y cartulina
- ✔ Lápices o rotuladores

**En ordenador**
- ✔ Un procesador de textos
- ✔ Un programa para hacer presentaciones

**En ambos casos**
- ✔ Inspiración
- ✔ Sensibilidad

 **A.** Observad bien este cuadro de Salvador Dalí. En grupos de tres o cuatro...

... comentad lo que veis:

- ▶ ¿Dónde está la mujer?
- ▶ ¿Cómo va vestida?
- ▶ ¿De qué color tiene el pelo?
- ▶ ¿Dónde está?
- ▶ ¿Qué se ve por la ventana?

... explicad lo que imagináis:

- ▶ ¿Qué hace la mujer en la ventana?
- ▶ ¿A quién espera?
- ▶ ¿En qué piensa?

... decidid un título para el cuadro.

 **B.** Ahora vais a componer un pequeño poema (de un máximo de 10 versos) sobre el cuadro, teniendo en cuenta lo que habéis aprendido sobre los símiles, las metáforas, las rimas...

**C.** Con todos los poemas vais a hacer una exposición, un pase de diapositivas o un libro electrónico.

*Muchacha en la ventana.* Salvador Dalí (1925).

## COMPRENSIÓN LECTORA

**1.** Lee la biografía y los poemas de Rafael Alberti y responde a las siguientes preguntas.

▸ 1. ¿Por qué se tuvo que exiliar de España?

▸ 2. ¿Cuándo volvió a su país?

▸ 3. ¿Qué relación ves entre las dos poesías y la biografía del poeta?

El poeta español Rafael Alberti nació en el Puerto de Santa María (Cádiz) en 1917 y murió en esta misma ciudad en 1999. Durante la Guerra Civil española militó activamente en política y dirigió varias revistas de orientación comunista. A causa de sus ideas y de sus escritos, al terminar la guerra tuvo que exiliarse y vivió en Argentina y en Roma. En 1977, con la democracia, volvió a España, donde vivió hasta su muerte.

El mar es uno de los temas recurrentes en la poesía de Rafael Alberti. El otro tema es la pintura. Antes de ser poeta Alberti fue pintor, por eso dedicó muchos poemas a la pintura y a los pintores y, además, ilustró sus libros con dibujos y pinturas propios.

**Si mi voz muriera en tierra**
Si mi voz muriera en tierra
llevadla al nivel del mar
y dejadla en la ribera.
Llevadla al nivel del mar
y nombradla capitana
de un blanco bajel de guerra.
¡Oh mi voz condecorada
con la insignia marinera:
sobre el corazón un ancla
y sobre el ancla una estrella
y sobre la estrella el viento
y sobre el viento la vela!

**Los ojos de Picasso**
Siempre es todo ojos.
No te quita ojos.
Se come las palabras con los ojos.
Es el siete ojos.
Es el cien mil ojos en dos ojos.
El gran mirón
como un botón marrón
y otro botón.
El ojo de la cerradura
por el que se ve la pintura.
El que te abre bien los ojos
cuando te muerde con los ojos.
El ojo de la aguja
que sólo ensarta cuando dibuja.
El que te clava con los ojos
en un abrir y cerrar de ojos.
(Fragmento)

*Autorretrato.* Pablo Picasso (1907).

## COMPRENSIÓN ORAL

Pista 56

**2.** Completa este poema con las palabras del recuadro. Piensa en el sentido y en la rima. Después, escúchalo para verificar.

Tristes guerras
si no es .............. la empresa.
Tristes, tristes.
Tristes ..............
si no son las ...............
Tristes, tristes.
Tristes ..............
si no mueren de ...............
Tristes, tristes.

| amor |
| amores |
| armas |
| hombres |
| palabras |

## EXPRESIÓN ORAL

**3.** Lee este poema en voz alta (antes, ensáyalo).

La plaza tiene una torre,
la torre tiene un balcón,
el balcón tiene una dama,
la dama una blanca flor.
Ha pasado un caballero
—¡quién sabe por qué pasó!—,
y se ha llevado la plaza,
con su torre y su balcón,
con su balcón y su dama
su dama y su blanca flor.

## EXPRESIÓN ESCRITA

**4.** Completa a tu manera este poema de Gloria Fuertes haciendo que rimen los versos pares.

**Tengo, tengo, tengo, tú no tienes nada** (popular)
Tengo siete amores
para la semana.
Lunes me da versos.
Martes me da .....
Miércoles disgustos.
Jueves .....
Viernes me da llanto.
Sábado.....
Domingo, un amigo.
Con eso me basta.
Tengo, tengo, tengo,
yo no tengo .....

## INTERACCIÓN ORAL

**5.** En parejas, hablad sobre la importancia que tiene o no la poesía en vuestras vidas.

# GRAMÁTICA Y COMUNICACIÓN

## LA SÍLABA

### SÍLABAS TÓNICAS Y ÁTONAS

Las palabras se dividen en sílabas:
ma-ri-po-sa

Hay sílabas **tónicas** (o fuertes), que son las que se pronuncian con mayor intensidad:
ma-ri-**po**-sa

Y sílabas **átonas**, que son todas las demás:
ma-ri-po-sa

Según la posición de la sílaba tónica, las palabras pueden ser agudas, llanas o esdrújulas.
**Agudas:** la sílaba fuerte es la última.
cora**zón**, liber**tad**, fe**liz**, ama**rás**
**Llanas:** la sílaba fuerte es la penúltima.
**san**gre, **nai**pe, di**fí**cil
**Esdrújulas:** la sílaba fuerte es la antepenúltima.
**án**geles, dia**bó**licas, o**cé**ano

### DIPTONGO

Un diptongo es un conjunto formado por una vocal abierta (**a**, **e**, **o**) y una cerrada (**i**, **u**), o bien por dos cerradas (**i**, **u**) en una misma sílaba.
**ai**-re / **mue**-vo / **rui**-do / **diur**-no

Si tenemos una vocal abierta seguida de una cerrada y la sílaba tónica recae sobre la vocal cerrada, esta se acentúa:
Ma-**rí**-a / ~~Ma-ria~~; po-e-**sí**-a / ~~po-e-sia~~

## REGLAS DE ACENTUACIÓN

### TILDE (´)

La tilde es el **acento gráfico**. Se coloca encima de una de las vocales que forman la sílaba tónica. Las reglas de acentuación son:
**Agudas:** llevan tilde todas las palabras que terminan en **vocal**, **vocal + n** o **vocal + s**: cora**zón**, ama**rás**.
**Llanas:** llevan tilde todas las palabras que no terminan en **vocal**, **vocal + n** ni **vocal + s**: di**fí**cil, ca**dá**ver.
**Esdrújulas:** siempre llevan tilde: **án**geles, dia**bó**licas, o**cé**ano.

### TILDE DIACRÍTICA

Las palabras monosílabas no llevan nunca tilde, excepto unas cuantas que se acentúan para diferenciarse de otras que se escriben igual.
*Me gusta **tu** hermano. Me gustas **tú**.*

● *Digo lo **que** veo y lo **que** pienso.*
○ *¿Y **qué** ves? ¿**Qué** piensas?*

## SIGNOS DE PUNTUACIÓN

### COMA ,

Representa una pausa breve y separa partes dentro de una frase.

### PUNTO .

Pausa más larga que la coma. Indica el final de una frase.

### DOS PUNTOS :

Introducen citas o una enumeración.

### PUNTOS SUSPENSIVOS ...

Interrumpen el discurso, dejándolo en suspenso.

### GUION -

Une palabras o establece relaciones entre ellas.

### PARÉNTESIS ( )

Intercala aclaraciones dentro de una frase.

### COMILLAS " "

Sirven para marcar palabras dichas por otras personas o sobre las que queremos llamar la atención.

### SIGNOS DE INTERROGACIÓN ¿ ?

Abren y cierran una oración interrogativa, una pregunta.

### SIGNOS DE EXCLAMACIÓN ¡ !

Abren y cierran una oración exclamativa.

## POSESIVOS

### POSESIVOS TÓNICOS

Para informar sobre el propietario de algo usamos la serie:

| MASC. / SING. | FEM. / SING. | MASC. / PLUR. | FEM. / PLUR. |
| --- | --- | --- | --- |
| mío | mía | míos | mías |
| tuyo | tuya | tuyos | tuyas |
| suyo | suya | suyos | suyas |
| nuestro | nuestra | nuestros | nuestras |
| vuestro | vuestra | vuestros | vuestras |
| suyo | suya | suyos | suyas |

● *¿De quién es este relato tan divertido?*
○ *Es **suyo**.*

Con artículos determinados, los posesivos tónicos sirven para sustituir a un sustantivo ya mencionado o conocido por el interlocutor gracias al contexto.

| MASC. / SING. | FEM. / SING. | MASC. / PLUR. | FEM. / PLUR. |
| --- | --- | --- | --- |
| el mío | la mía | los míos | las mías |
| el tuyo | la tuya | los tuyos | las tuyas |
| el suyo | la suya | los suyos | las suyas |
| el nuestro | la nuestra | los nuestros | las nuestras |
| el vuestro | la vuestra | los vuestros | las vuestras |
| el suyo | la suya | los suyos | las suyas |

● *¿**El tuyo** también es divertido?*
○ *No, **el mío** es de terror.*

Con artículos indeterminados, con los posesivos nos referimos a relaciones entre personas. En este caso el posesivo va siempre después del nombre.

- ● *¿El curso pasado ganaste tú el concurso?*
- ○ *No, lo ganó* **una** *amiga* **mía**.

- ● *¿Con quién está hablando Irene?*
- ○ *Con* **una** *prima* **suya**.

Pero usamos los posesivos átonos cuando aparece la identidad con un nombre propio o cuando hablamos de un familiar único:

- ● *¿Con quién está hablando Irene?*
- ○ *Con* **su** *amiga Elvira.*

👁 No solemos utilizar el posesivo cuando nos referimos a partes del propio cuerpo.

| | |
|---|---|
| *Me duele ~~mi~~ brazo.* | *¿Te has cortado ~~tu~~ pelo?* |
| *Me duele* **el** *brazo.* | *¿Te has cortado* **el** *pelo?* |

👁 Tampoco solemos usar los posesivos cuando nos referimos a cosas de las cuales se supone que solo poseemos una unidad o que, por el contexto, está muy claro de quién son.

*No sé dónde he puesto ~~mi~~ mochila.*
*No sé dónde he puesto* **la** *mochila.*

## PRONOMBRES PERSONALES

### PRONOMBRES SUJETO
Los pronombres sujeto son:

| | | |
|---|---|---|
| yo | | |
| tú | | usted |
| él | ella | |
| nosotros | nosotras | |
| vosotros | vosotras | ustedes |
| ellos | ellas | |

Recuerda que, en español, la marca de la persona está en el verbo. Por eso, muchas veces no es necesario el pronombre sujeto.

*Estudi**o** español y alemán.* (**-o** = yo)
*H**emos** ido al cine.* (**-emos** = nosotros)

Pero, en algunos casos, los pronombres son necesarios.

▸ Cuando hay un contraste de diferentes informaciones sobre diferentes sujetos:

- ● **Nosotros** *estudiamos español. ¿Y* **vosotras**?
- ○ **Yo** *estudio francés y* **ellas** *estudian alemán.*

▸ Cuando nos identificamos o identificamos a alguien:

- ● *¿Carmen Mora, por favor?*
- ○ *Soy* **yo**.

▸ Cuando hay una posible ambigüedad:

*¿Cuántos años tiene* **él**? (no **ella**)

### TÚ / USTED
Para tratar con formalidad al interlocutor, usamos **usted / ustedes**, que se combinan con los verbos en 3ª persona, como **él / ella** y **ellos / ellas**.

Si eres una persona joven, lo normal es utilizar **usted** o **ustedes** con todos los adultos desconocidos (un camarero, un policía, una persona en la calle...). En España, los chicos y las chicas suelen utilizar **tú** o **vosotros** para dirigirse a los profesores.

***Perdone**, ¿**sabe** si hay una farmacia cerca de aquí?* (usted)
***Profe**, ¿**puedes** repetir la última frase, por favor?* (vosotros)

👁 En la mayoría de países latinoamericanos no se usa **vosotros**. Casi siempre se usa **ustedes**.

👁 En Argentina, en Uruguay y en otras zonas, en lugar de **tú** se usa **vos**. Además, los tiempos verbales que acompañan a la persona **vos** se conjugan de manera diferente. En algunos casos, la última sílaba se convierte en tónica:

***Vos hablás** muy bien el español. ¿Lo **estudiás** en el colegio?*

### PRONOMBRES CON PREPOSICIÓN
Con las preposiciones (**para**, **de**, **a**, **sin**...) usamos los siguientes pronombres:

| PRONOMBRES SUJETO | PREPOSICIÓN + PRONOMBRES | |
|---|---|---|
| yo | para | mí |
| tú | | ti |
| él / ella / usted | | él / ella / usted |
| nosotros / nosotras | | nosotros / nosotras |
| vosotros / vosotras | | vosotros / vosotras |
| ellos / ellas / ustedes | | ellos / ellas / ustedes |

*Este regalo ¿es* **para mí** *o* **para ti**?

La preposición **con** es un caso especial, ya que forma una sola palabra con los pronombres de 1ª y 2ª persona del singular.

| PRONOMBRES SUJETO | CON + PRONOMBRES |
|---|---|
| yo | **conmigo** |
| tú | **contigo** |
| él / ella / usted | **con él / ella / usted** |
| nosotros / nosotras | **con nosotros / nosotras** |
| vosotros / vosotras | **con vosotros / vosotras** |
| ellos / ellas / ustedes | **con ellos / ellas / ustedes** |

🗩 *Papá, ¿puedo ir* **contigo** *de viaje?*
○ *No, tú tienes que ir al cole.*

## PRONOMBRES DE COMPLEMENTO DIRECTO

| PRONOMBRES SUJETO | PRONOMBRES DE CD |
|---|---|
| yo | me |
| tú | te |
| él / ella / usted | lo / la |
| nosotros / nosotras | nos |
| vosotros / vosotras | os |
| ellos / ellas / ustedes | los / las |

El CD (complemento directo) es la cosa o la persona sobre la que se realiza la acción del verbo. Como en muchas lenguas, cuando ya sabemos a qué sustantivo nos referimos, porque queda claro por el contexto, este se sustituye por un pronombre:

● *¿Dónde has escuchado la historia "Perdidos en el bosque"?*
○ ***La** he escuchado en clase de Español.*

Si el tema principal de la frase es el CD, lo ponemos al principio y añadimos el pronombre correspondiente.

*La historia "Perdidos en el bosque" **la** puedes encontrar en internet.*

👁 Si el pronombre de CD hace referencia a una persona de género masculino y número singular, se acepta también el uso de **le**.

●*¿Has visto a Roberto últimamente?*
○ *Sí, **lo** vi el lunes en el colegio, en clase de Música.*
  *(= **le** vi el lunes)*

## PRONOMBRES DE COMPLEMENTO INDIRECTO

| PRONOMBRES SUJETO | PRONOMBRES DE CI |
|---|---|
| yo | me |
| tú | te |
| él / ella / usted | le |
| nosotros / nosotras | nos |
| vosotros / vosotras | os |
| ellos / ellas / ustedes | les |

El (CI) complemento indirecto es la persona o personas destinatarios de la acción de un verbo. En español muy frecuentemente se duplica el CI: aparece el CI y su pronombre correspondiente.

*Los cómics **le** gustan **a mi madre**.*
        Pron. CI    CI

Cuando el tema principal de la frase es el CI, lo ponemos al principio y añadimos el pronombre correspondiente delante del verbo.

***A mi madre** **le** gustan los cómics.*
CI              Pronombre de CI

## PRONOMBRES REFLEXIVOS (ME / TE / SE)

Algunos verbos, los llamados reflexivos, van siempre con los pronombres **me / te / se / nos / os / se**.

| PRONOMBRES | ALGUNOS VERBOS |
|---|---|
| me | quedo |
| te | llamas |
| se | baña |
| nos | vestimos |
| os | enfadáis |
| se | llevan bien |

*Mi hermana **se llama** Natalia Domingo.*
*Mamá, **nos quedamos** un poco más, ¿vale?*

Cuando una acción se realiza sobre el propio sujeto usamos los verbos reflexivos.

*Yo siempre **me baño** por la noche y, después, mi madre **baña** a mi hermana.*

Cuando el CD es una parte del propio cuerpo o es ropa del sujeto también se usa la forma reflexiva.

*Héctor, ¿**te has lavado** los dientes?*
*¿No **te pones** la chaqueta?*

## ALGUNOS VERBOS CON LA SERIE DE PRONOMBRES ME / TE / SE / NOS / OS / SE

ENFADARSE (alguien con alguien)
***Me he enfadado** con la profesora.*
*¿Vosotros nunca **os enfadáis**?*
*Mis padres **se enfadan** si llego tarde.*

PREOCUPARSE (alguien por algo / alguien)
*Ismael **se preocupa** mucho por las notas.*
*Mis padres siempre **se preocupan** por mí.*

LLEVARSE BIEN / MAL (alguien con alguien)
***Me llevo** muy bien con mi hermano pequeño.*
*Mi prima Elena y yo **nos llevamos** mal.*

PONERSE nervioso / contento...
***Me pongo** muy contento cuando llueve.*
*¿**Te has puesto** nerviosa en la obra de teatro?*

## PRONOMBRES ME / TE / LE

Hay bastantes verbos que se combinan siempre con los pronombres de CI.

| PRONOMBRES | ALGUNOS VERBOS |
|---|---|
| me | gusta |
| te | duele |
| le | interesa |
| nos | encanta |
| os | cae bien / mal |
| les | pasa (algo) |

SUJETO GRAMATICAL DEL VERBO

¿A ti *te interesan* | las novelas históricas?

SUJETO GRAMATICAL DEL VERBO

A Carlos *le duelen* | las muelas.

## ALGUNOS VERBOS CON LA SERIE DE PRONOMBRES
## ME / TE / LE / NOS / OS / LES:

CAERLE BIEN / MAL (alguien a alguien)

El nuevo profesor *nos ha caído* (muy) bien.
¿Qué tal *le* cae Eva a Nicolás?

PASARLE (algo a alguien)

● ¿Qué *le pasa* a Ainara?
○ No lo sé, pero está muy rara.

Un día *me pasó* una cosa muy divertida. ¿Quieres que te la cuente?

## POSICIÓN DE LOS PRONOMBRES

Los pronombres normalmente se colocan delante del verbo.

A Ignacio no *lo* he visto hoy.

Si hay dos pronombres, uno de CI y otro de CD, el orden es: CI + CD

Me encanta este disco. ¿*Me lo* prestas?

Cuando los dos pronombres son de tercera persona,
*le* se convierte en *se*.

¿Qué hago con los bombones? ¿*Se los* doy a Montse o a Aitor?

Con imperativo afirmativo, los pronombres de CD, de CI y los reflexivos se colocan detrás del verbo.

Cómpra*las*. Son bonitas.
Ayúda*nos* un momento, por favor.
Queda*os* un poco más. Es pronto.

Con imperativo negativo, van delante del verbo.

Cuidado, no *la* rompas.
No *le* regales flores: es alérgica.
No *se lo* digas a Iván.

Con las perífrasis, los pronombres pueden ir delante del verbo conjugado o detrás del infinitivo o del gerundio.

ESTAR + gerundio
● ¿Has leído el correo de Nicolás?
○ No, *estoy leyéndolo* ahora.
○ No, *lo* estoy *leyendo* ahora.

IR A + infinitivo
○ No, *voy a leerlo* ahora.
○ No, *lo voy a leer* ahora.

TENER QUE + infinitivo
○ ¿*Tengo que* leer*lo*?
○ ¿*Lo tengo que* leer?

## PREPOSICIONES Y LOCUCIONES PREPOSICIONALES

| REFERENCIAS ESPACIALES | |
|---|---|
| A | *ir a* Sevilla / México / ...<br>*Francia está al norte de España.* |
| DE | vengo *del* instituto<br>plátanos *de* Canarias |
| DE... A | *De mi casa a la escuela voy en metro.* |
| DE... A /<br>DESDE... HASTA | *Ha ido de Copenhague a Sevilla en autostop.*<br>*Ha ido desde Copenhague hasta Sevilla en autostop.* |
| EN | quedarse *en* casa / la ciudad / ...<br>estar *en* casa / Alemania / ...<br>*Granada está en el sur de España.* |
| CERCA / LEJOS DE | vivir *cerca* / *lejos de* la escuela |
| ENTRE | *Madrid está entre Zaragoza y Granada.* |
| HACIA | *Toma el autobús hacia el centro y bájate en la tercera parada.* |
| HASTA | *Toma el autobús hasta la plaza de Castilla y allí pregunta por el ayuntamiento.* |
| POR | *Vamos a dar una vuelta por el parque.*<br>*Siempre paso por tu calle cuando voy al colegio.* |

| REFERENCIAS ESPACIALES | |
|---|---|
| ENCIMA (DE) | *Tu libro está encima de la mesa.* |
| DEBAJO (DE) | *Tu libro está debajo de la mesa. Se ha caído.* |
| AL LADO (DE) | *Me siento al lado de Alberto.* |
| JUNTO A | *La farmacia está junto a mi casa.* |
| DETRÁS (DE) | *El último está detrás de los demás.* |
| DELANTE (DE) | *El primero está delante de los demás.* |
| A LA DERECHA (DE) | *El este está a la derecha del globo.* |
| A LA IZQUIERDA (DE) | *El oeste está a la izquierda del globo.* |
| ENTRE | *La coma está entre la unidad y el decimal.* |

| REFERENCIAS TEMPORALES | |
|---|---|
| A | *a* las tres de la tarde<br>*a* los 25 años |
| EN | *en* verano / Navidad / ... |
| POR | *por* la mañana / tarde / noche |

# RESUMEN GRAMATICAL

| | |
|---|---|
| **DESDE** | **desde** los cinco años<br>**desde** el año 1977 |
| **DE... A /**<br>**DESDE... HASTA** | **De** Navidad **a** Reyes no tenemos colegio.<br>**Desde** Navidad **hasta** Reyes no tenemos colegio. |

### OTROS USOS

| | |
|---|---|
| **A** con CI o con CD de persona | ¿Por qué no se lo das **a** Esther?<br>Estoy buscando **a** Paco. |
| **CON** | ir / estar / vivir / ... **con** Mario<br>una habitación **con** ventanas |
| **DE** | unos pendientes **de** oro<br>un amigo **de** Eva<br>las diez **de** la mañana<br>una película **de** miedo |
| **EN** | ir **en** coche / tren / avión / ... |
| **PARA** | un libro **para** mi primo<br>una herramienta **para** escribir<br>estudiar **para** aprobar<br><br>Me dirijo a ustedes **para** solicitar una beca.<br>Adjunto mi currículum **para** que vean mi experiencia. |
| **SOBRE** | leer **sobre** un tema<br>hablar **sobre** alguien |
| **CONTRA** | jugar **contra** otro equipo |
| **CON / SIN** | una cámara **con** zoom<br>un ratón **sin** cable |

Con algunos verbos las preposiciones son obligatorias.

tener ganas **de**   **Tengo ganas de** ver esta película.
convertirse **en**   **Se ha convertido en** un actor muy famoso.
dedicarse **a**   Es una fundación que **se dedica a** cuidar animales abandonados.
empezar **a**   **Empecé a** estudiar español hace dos años.
aprender **a**   Elisa **aprendió a** andar a los nueve meses.

## COMPARATIVOS Y SUPERLATIVOS

### CON ADJETIVOS
Alba es **más alta que** su hermana.
Alba es **menos** habladora **que** su hermana.

MÁS BUENO/-A, MÁS MALO/-A → MEJOR, PEOR
Este disco es **mejor** / **peor que** este.
Este disco es **el mejor** / **peor de** los tres.

👁 Para elegir entre cosas distintas: **lo mejor**.

- ¿Qué le regalamos?
- ○ ¿Una pulsera o unos pendientes? No sé...
- ■ **Lo mejor** es una camiseta original.

MÁS GRANDE → MAYOR
Para tamaño.
La camiseta verde es **más grande** que la roja.

Para la edad.
Teo es **mayor** que Tomás y que Juan. Teo es **el mayor** (de los tres chicos).

MÁS PEQUEÑO/-A → MENOR
Para tamaño.
La camiseta roja es **más pequeña** que la verde.

Para la edad.
Edu es **menor** que David y Paco. Edu es **el menor** (de los tres chicos).

### CON VERBOS
Vanessa estudia **más que** Gabriela.
Gabriela estudia **menos que** Vanessa.
Iván es **el mayor**, pero Roberto es **el más alto**.

## OTRO / EL MISMO

Este año tenemos | **otro** / **el mismo** colegio.
**otra** / **la misma** directora.
**otros** / **los mismos** compañeros.
**otras** / **las mismas** actividades extraescolares.

## GRADATIVOS Y CUANTIFICADORES

### CON NOMBRES
Poco, bastante, suficiente, mucho y demasiado concuerdan en género y en número con el sustantivo al que acompañan.

| MASCULINO SINGULAR | FEMENINO SINGULAR |
|---|---|
| **poco** trabajo<br>**mucho** trabajo<br>**demasiado** ruido | **poca** gente<br>**mucha** gente<br>**demasiada** gente |
| **MASCULINO PLURAL** | **FEMENINO PLURAL** |
| **pocos** alumnos<br>**muchos** amigos<br>**demasiados** coches | **pocas** clases<br>**muchas** flores<br>**demasiadas** patatas |
| **MASCULINO Y FEMENINO SINGULAR** | **MASCULINO Y FEMENINO PLURAL** |
| **bastante** trabajo / gente<br>**suficiente** tiempo / comida | **bastantes** deberes / amigas<br>**suficientes** colegios / horas de clase |

👁 **un poco de** miel = una pequeña cantidad

### CON ADJETIVOS
No... nada, bastante, muy y demasiado son invariables cuando van con un adjetivo.

Esta novela **no** es **nada** interesante.
Esta novela es **bastante** / **muy** / **demasiado** difícil.

👁 **Un poco** solo se combina con cualidades negativas.
   *Es un poco aburrido / pesado / difícil...*

## CON VERBOS

**No... nada**, **bastante**, **mucho** y **demasiado** son invariables cuando van con un verbo.

*Javi no estudia nada.*

*Javi estudia* | *poco.*
               | *bastante.*
               | *mucho.*
               | *demasiado.*

👁 *Javi no estudia lo suficiente.*

## ALGÚN/O/A..., NINGÚN/O/A...

● *¿Hay algún chico nuevo este año en tu clase?*
○ *No, no hay ningún chico nuevo.*
   *No, no hay ninguno.*

● *¿Hay alguna chica nueva?*
○ *No, no hay ninguna chica nueva.*
   *No, no hay ninguna.*

*Hay algunos chicos nuevos, cuatro o cinco.*
*Hay algunas chicas nuevas, cuatro o cinco.*

👁 **algo** = alguna cosa
   *¡Cuidado! ¡Tienes algo en el ojo!*
   *Tenemos que comprar algo para cenar.*

**alguien** = alguna persona     **nadie** = ninguna persona

## MUY / MUCHO/-A/-OS/-AS, TAN / TANTO/-A/-OS/-AS

MUY → TAN / TANTO
● *Los gobiernos invierten muy poco en investigar enfermedades raras.*
○ *Tienes razón. Está mal que los gobiernos inviertan tan poco en eso.*

MUCHO → TANTO
● *Los gobiernos gastan mucho dinero en armas.*
○ *Sí, es verdad, es horrible que gasten tanto dinero en algo así.*

MUCHA → TANTA
● *Una de las principales preocupaciones de los ciudadanos de este país es que hay mucha corrupción.*
○ *¿Y por qué hay tanta?*

MUCHOS → TANTOS
● *Muchos jóvenes tienen problemas con las drogas.*
○ *Es cierto, casi tantos como hace treinta años.*

MUCHAS → TANTAS
● *Muchas personas mayores utilizan internet.*
○ *Sí, como mi abuela. Está muy bien que tantas personas mayores lo utilicen.*

## RELATIVAS

*Es una ciudad.*
*Tiene tres millones de habitantes.*
*Es una ciudad que tiene tres millones de habitantes.*
*Es una ciudad donde viven tres millones de personas.*
*Es una ciudad en la que viven tres millones de personas.*
*Es un pueblo en el que viven menos de 100 personas.*

### FRASES DE RELATIVO CON INDICATIVO O SUBJUNTIVO

*Busco a una persona que habla inglés.* (nos referimos a alguien cuya existencia conocemos)

*Busco a una persona que hable inglés.* (nos referimos a alguien cuya existencia desconocemos)

*Busco a una persona.*
*La persona habla inglés.*
*Busco a una persona que hable inglés.*

### ORACIONES RELATIVAS CON PREPOSICIÓN

*Había una vez un rey. + Al rey le gustaba mucho vestir bien.*
*Había una vez un rey al que le gustaba mucho vestir bien.*
*Mira, este es el hotel en el que estaremos en Ibiza.*
*Esta es la calle por la que paso cada día para ir al instituto.*
*Es un deporte para el que hay que estar en muy buena forma.*
*Esa es la terminal de la que salen los vuelos internacionales.*
*Tengo unos zapatos con los que te quedaría muy bien este vestido.*
*Hay tres bibliotecas a las que puedes ir en domingo.*
*El avión desde el que se tiraron los paracaidistas volaba muy alto.*

## EL QUE / QUIEN

*El que empieza tiene que hacer preguntas.*
*Ganan* | *los que* | *adivinan primero la palabra.*
        | *quienes*

*Quien / quienes se utiliza solo para seres humanos.*
*La fiesta es el lunes. Puedes invitar a quien quieras.*

## INTERROGATIVAS

*¿Quién es?*
*¿Quiénes son?*
*¿Dónde están los servicios?*
*¿Adónde vas a ir el domingo?*
*¿Cómo fuiste al cine? ¿En metro?*
*¿Cómo se llamaba la película?*
*¿Cuál es tu superhéroe favorito?*
*¿Cuáles son tus películas preferidas?*
*¿Cuánto te costó la entrada?*
*¿Cuánta gente había?*
*¿Cuántos lagos viste?*
*¿Cuántas ambulancias vinieron?*
*¿Cuándo empezó el concierto?*
*¿Por qué se desmayó Isabel?*
*¿Qué recuerdas de todo eso?*

👁 En preguntas con preposición, esta se sitúa antes de la partícula interrogativa.

- ● *¿**En** qué cine están?*
- ○ ***En** uno que hay en su barrio.*

- ● *¿**De** qué se conocen?*
- ○ ***Del** colegio.*

- ● *¿**De** dónde venía Isabel?*
- ○ ***De** su casa.*

- ● *¿**Con** quién se encontraron?*
- ○ ***Con** nadie.*

## EL ESTILO INDIRECTO

Usamos el estilo indirecto para transmitir información, peticiones y preguntas, así como para resumir lo dicho por otros. Para hacerlo, en la mayoría de los casos hay que cambiar los tiempos verbales, los pronombres, las partículas espaciales, etc.

Estilo directo:
*El rey les **dice** a los tejedores: "Un gran monarca como yo **merece** el mejor de los trajes. **Haced** uno con la tela más maravillosa del mundo. ¿**Creéis** que **podréis** hacerlo hoy?"*

Estilo indirecto:
*El rey les **dijo** a los tejedores que un gran monarca como él **merecía** el mejor de los trajes. Les pidió que **hicieran** uno con la tela más maravillosa del mundo y les preguntó si **creían** que **podrían** hacerlo aquel día.*

Estilo directo:
*Caperucita respondió: "**He hecho** mermelada para **mi** abuela, que **está** enferma".*
*El lobo le preguntó: "¿**Vas** sola a casa de **tu** abuela?"*

Estilo indirecto:
*Caperucita respondió que **había hecho** mermelada para **su** abuela, que **estaba** enferma.*
*El lobo le preguntó si **iba** sola a casa de **su** abuela.*

### CAMBIOS EN TIEMPOS VERBALES
presente → pretérito imperfecto
pretérito indefinido → pretérito pluscuamperfecto
futuro → condicional
presente de subjuntivo → imperfecto de subjuntivo
imperativo → imperfecto de subjuntivo
condicional → condicional

### CAMBIOS EN PARTÍCULAS TEMPORALES Y ESPACIALES
hoy → aquel día
mañana → el / al día siguiente
ayer → el día anterior
aquí → allí
este/-a/-os/-as → aquel / aquella/-os/-as

## MARCADORES TEMPORALES

### PARA HABLAR DEL PASADO
**A los 14 meses** | *empecé a hablar*
**De muy pequeño**

*Aprendió a tocar el violín **de niño**.*
***En 2013** nos fuimos a vivir a Portugal. **Desde entonces** solo volvemos a Perú en vacaciones.*
***El día** 15 **de** septiembre empezaron las clases en el instituto.*
***El día** 22 **de** octubre **de** 1492 Colón llegó a América.*
***En el siglo** VIII los árabes llegaron a España.*
***Durante varios años**, las cadenas de televisión no tuvieron publicidad.*

### PARA RELACIONAR EL PRESENTE CON EL PASADO O CON EL FUTURO
***Todavía no** hemos reducido bastante los residuos.*
***Hasta ahora** se ha apuntado muy poca gente.*
**Actualmente ya** | *existe la posibilidad de clonar humanos.*
**Ahora (ya)**

*Te llamo **esta semana**, **entre** el miércoles **y** el viernes.*

***dentro de** ... años / días / horas / minutos / poco / ...*

*No sé dónde estaré **dentro de** 15 **años**.*

### PARA HABLAR DEL FUTURO
***Cuando sea mayor** viajaré mucho.*
***De mayor** viajaré mucho.*
*No sé dónde estaré **a los** 30 **años**.*
*¿Crees que **pronto** va a ser normal viajar al espacio?*

## LOS VERBOS I: MODO INDICATIVO

### PARA HABLAR DEL PRESENTE

PRESENTE DE INDICATIVO
Para hablar de acciones actuales o habituales.

***Tengo** muchos amigos.*
*Siempre **vamos** a la playa en vacaciones.*

ESTAR + GERUNDIO
Cuando queremos presentar una acción en su desarrollo:

*Raúl, déjame en paz. **Estoy haciendo** los deberes.*
*Raúl, déjame en paz. Hago los deberes.*

## PARA HABLAR DEL PASADO

Para hablar del pasado, en español podemos usar varios tiempos.
Vamos a aprender su uso poco a poco.

| Usamos: | | Ejemplo: | Se usa frecuentemente con: |
|---|---|---|---|
| **PRETÉRITO PERFECTO** | Para hablar del pasado sin informar de cuándo se ha realizado una acción. | ¿**Has pensado** alguna vez en cómo será el mundo dentro de unos años? | nunca<br>alguna vez |
| | Para hablar de un pasado que presentamos en relación con el momento presente. | Hoy **he hablado** con mis padres en el desayuno sobre el cambio climático.<br>Este año también **ha subido** el nivel del mar. | hoy<br>esta mañana, esta tarde...<br>esta semana<br>este mes, este año<br>estas vacaciones<br>en su vida (si sigue viviendo) |
| **PRETÉRITO INDEFINIDO** | Para situar una acción pasada con una fecha o para situarla en un momento concreto sin relación con el presente. | El martes **me compré** un libro y ayer lo **acabé** de leer.<br>El año pasado me **regalaron** una tableta. | ayer<br>el domingo, el lunes / ...<br>el día 2 / el día de Navidad / ...<br>la semana pasada<br>el mes pasado<br>el año pasado<br>en su vida (si ya no vive) |
| **PRETÉRITO IMPERFECTO** | Para hacer descripciones situadas en un tiempo pasado. | En la época de mis abuelos no **había** plástico. | antes<br>en la época de...<br>de niño/-a / pequeño/-a / joven |
| | Para describir acciones habituales en el pasado. | Yo antes **pasaba** el aspirador en casa, ahora lo hace un robot. | antes<br>cuando<br>de vez en cuando |
| | Evocar las circunstancias en un relato: las acciones se expresan en pretérito indefinido o perfecto y la situación en la que se producen se expresa en imperfecto. | ● ¿Por qué no viniste ayer?<br>○ Es que **estaba** enfermo.<br><br>**Era** una noche muy tranquila. No **había** nadie en la calle. De pronto, se oyó un ruido misterioso. | en ese tiempo<br>en esa época<br>aquel día / mes / año...<br>aquella tarde / noche... |
| **PRETÉRITO PLUSCUAMPERFECTO** | Para marcar que una acción pasada ha ocurrido antes que otra ya mencionada. | Cuando Caperucita **llegó** al restaurante, el Lobo ya **había entrado**. ⟍ a las 18:00 h<br> ⟍ a las 17:00 h | ya<br>todavía<br>aún |

## IMPERFECTO DE ESTAR + GERUNDIO

Referirnos al contexto de un suceso pasado aludiendo a otra acción, que presentamos en su desarrollo con el imperfecto de **estar** + gerundio.

| ESTAR | GERUNDIO |
|---|---|
| est**aba**<br>est**abas**<br>est**aba**<br>est**ábamos**<br>est**abais**<br>est**aban** | trabaj**ando**<br>com**iendo**<br>sal**iendo** |

● Y cuando llegó tu padre, ¿qué **estabais haciendo**?
○ Pues **estábamos bailando** en el salón.

## PARA HABLAR DEL FUTURO
### FUTURO IMPERFECTO
Recuerda que el futuro se forma con el Infinitivo del verbo y las terminaciones **-é, -ás, -á, -emos, -éis, -án**.

### FORMAS REGULARES

| HABLAR | COMER | SUBIR |
|---|---|---|
| hablar**é** | comer**é** | subir**é** |
| hablar**ás** | comer**ás** | subir**ás** |
| hablar**á** | comer**á** | subir**á** |
| hablar**emos** | comer**emos** | subir**emos** |
| hablar**éis** | comer**éis** | subir**éis** |
| hablar**án** | comer**án** | subir**án** |

*De mayor, **seré** profesor y **me casaré** con Camila.*

### ALGUNAS FORMAS CON LA RAÍZ IRREGULAR

| | | | | |
|---|---|---|---|---|
| decir | → | **dir**é/-ás/-á... | querer → | **querr**é/-ás/-á... |
| haber | → | **habr**é/-ás/-á... | saber → | **sabr**é/-ás/-á... |
| hacer | → | **har**é/-ás/-á... | salir → | **saldr**é/-ás/-á... |
| poder | → | **podr**é/-ás/-á... | tener → | **tendr**é/-ás/-á... |
| poner | → | **pondr**é/-ás/-á... | venir → | **vendr**é/-ás/-á... |

## EL CONDICIONAL
El condicional se forma con el infinitivo del verbo y las terminaciones **-ía, -ías, -ía, -íamos, -íais, -ían**.

### FORMAS REGULARES

| HABLAR | COMER | SUBIR |
|---|---|---|
| hablar**ía** | comer**ía** | subir**ía** |
| hablar**ías** | comer**ías** | subir**ías** |
| hablar**ía** | comer**ía** | subir**ía** |
| hablar**íamos** | comer**íamos** | subir**íamos** |
| hablar**íais** | comer**íais** | subir**íais** |
| hablar**ían** | comer**ían** | subir**ían** |

### ALGUNAS FORMAS CON LA RAÍZ IRREGULAR

| INFINITIVO | CONDICIONAL |
|---|---|
| decir | **dir**ía |
| haber | **habr**ía |
| hacer | **har**ía |
| poder | **podr**ía |
| poner | **pondr**ía |

Usamos el condicional para expresar deseos.
- **Me gustaría** visitar Nueva York.
- Yo **preferiría** ir a San Francisco.

Para evocar situaciones imaginarias.
*Yo nunca **iría** de vacaciones a la Antártida.*

Para sugerir soluciones o para hacer propuestas.
***Deberíamos** ir a ver a los abuelos.*
***Habría que** gastar menos agua.*
***Podríamos** ir al cine, ¿no?*

## LOS VERBOS II: MODO IMPERATIVO

### IMPERATIVO AFIRMATIVO
#### FORMAS REGULARES

| | HABLAR | COMER | SUBIR |
|---|---|---|---|
| (tú) | habl**a** | com**e** | sub**e** |
| (usted) | habl**e** | com**a** | sub**a** |
| (vosotros/-as) | habl**ad** | com**ed** | sub**id** |
| (ustedes) | habl**en** | com**an** | sub**an** |

### ALGUNAS FORMAS IRREGULARES

| | VENIR | HACER | PONER |
|---|---|---|---|
| (tú) | **ven** | **haz** | **pon** |
| (usted) | **venga** | **haga** | **ponga** |
| (vosotros/-as) | **venid** | **haced** | **poned** |
| (ustedes) | **vengan** | **hagan** | **pongan** |

| | IR | SABER | DECIR | SALIR |
|---|---|---|---|---|
| (tú) | **ve** | **sé** | **di** | **sal** |
| (usted) | **vaya** | **sea** | **diga** | **salga** |
| (vosotros/-as) | **id** | **sed** | **decid** | **salid** |
| (ustedes) | **vayan** | **sean** | **digan** | **salgan** |

### USOS DEL IMPERATIVO
Para dar instrucciones.
***Reduce** el consumo de plásticos y **reutiliza** todo lo posible.*

Para dar consejos.
***Olvídate** de eso y **céntrate** en tus estudios.*

Para pedir acciones, en un registro familiar o de forma poco cortés.
*¡**Ven, corre, mira** esto!*

Se usa también en algunas fórmulas muy frecuentes.
- Para entregar algo:
  **Toma / Tome**     ***Toma**, te dejo mi bici.*

- Para captar la atención:
  **Perdona / Perdone**     ***Perdone**, ¿me deja pasar?*

- Para introducir una explicación:
  **Oye / Oiga**     ***Oye**, ¿dónde has aparcado la bici?*

### IMPERATIVO NEGATIVO
#### FORMAS REGULARES

| | HABLAR | COMER | SUBIR |
|---|---|---|---|
| (tú) | no habl**es** | no com**as** | no sub**as** |
| (usted) | no habl**e** | no com**a** | no sub**a** |
| (vosotros/-as) | no habl**éis** | no com**áis** | no sub**áis** |
| (ustedes) | no habl**en** | no com**an** | no sub**an** |

## FORMAS IRREGULARES

La forma para **tú** es como la forma para **usted** del imperativo afirmativo, pero terminada en **-s**.

*No tengas* prisa.
*No vengas* tarde.
*No salgas* antes de las tres de la tarde.

Los verbos **estar**, **ser** e **ir** presentan formas especiales:

|           | ESTAR       | SER        | IR          |
|-----------|-------------|------------|-------------|
| (tú)      | no **estés**   | no **seas**   | no **vayas**   |
| (usted)   | no **esté**    | no **sea**    | no **vaya**    |
| (vosotros/-as) | no **estéis**  | no **seáis**  | no **vayáis**  |
| (ustedes) | no **estén**   | no **sean**   | no **vayan**   |

# LOS VERBOS III: MODO SUBJUNTIVO

## PRESENTE DE SUBJUNTIVO
### FORMAS REGULARES

| HABLAR    | COMER    | SUBIR    |
|-----------|----------|----------|
| habl**e**    | com**a**    | sub**a**    |
| habl**es**   | com**as**   | sub**as**   |
| habl**e**    | com**a**    | sub**a**    |
| habl**emos** | com**amos** | sub**amos** |
| habl**éis**  | com**áis**  | sub**áis**  |
| habl**en**   | com**an**   | sub**an**   |

### ALGUNAS FORMAS CON LA RAÍZ IRREGULAR

| INFINITIVO | PRES. SUBJUNTIVO |
|-----------|------------------|
| saber     | **sep**a/-as/-a...  |
| decir     | **dig**a/-as/-a...  |
| haber     | **hay**a/-as/-a...  |
| hacer     | **hag**a/-as/-a...  |
| tener     | **teng**a/-as/-a... |
| poner     | **pong**a/-as/-a... |
| ir        | **vay**a/-as/-a...  |

### ALGUNAS FORMAS CON CAMBIOS VOCÁLICOS EN LA RAÍZ

| O>OUE     | E>IE      | E>I       |
|-----------|-----------|-----------|
| **PODER**     | **QUERER**    | **PEDIR**     |
| p**ue**da    | qu**ie**ra   | p**i**da     |
| p**ue**das   | qu**ie**ras  | p**i**das    |
| p**ue**da    | qu**ie**ra   | p**i**da     |
| podamos   | queramos  | p**i**damos  |
| podáis    | queráis   | p**i**dáis   |
| p**ue**dan   | qu**ie**ran  | p**i**dan    |

El presente de subjuntivo aparece casi siempre en oraciones **subordinadas**, es decir, que dependen de una oración principal.

El subjuntivo se usa en frases que expresan los sentimientos que nos provocan las acciones de otros, esas acciones van en subjuntivo. En cambio, cuando las acciones las llevamos a cabo nosotros mismos, estas van en infinitivo.

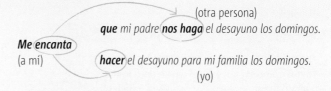

**Me encanta**
(a mí)

*que* mi padre *nos haga* el desayuno los domingos. (otra persona)

*hacer* el desayuno para mi familia los domingos. (yo)

También se usa, en la frase subordinada, cuando se hacen valoraciones impersonales o cuando se formulan deseos.

| Es preferible | **que** + subjuntivo |
|---------------|------------------|
| Es estupendo  | **que** la gente **actúe** así. |
| Es injusto    |                  |

Las oraciones subordinadas relativas pueden estar en indicativo o en subjuntivo:

**Indicativo:** cuando conocemos la identidad del antecedente o sabemos que existe.
*Van a un colegio <u>donde</u> **pueden** comer a mediodía.*
*Van a un colegio <u>en el que</u> **pueden** comer a mediodía.*
*Hay un colegio <u>que</u> **está** muy bien.*

**Subjuntivo:** si desconocemos la existencia o la identidad concreta del antecedente.
*Piden un colegio <u>donde</u> **puedan** comer a mediodía.*
*Piden un colegio <u>en el que</u> **puedan** comer a mediodía.*
*No hay ningún colegio <u>que</u> **esté** bien.*

## IMPERFECTO DE SUBJUNTIVO
### FORMAS REGULARES

Este tiempo tiene dos formas, que son equivalentes en casi todos los usos: **-ara/-iera** y **-ase/-iese**.

| HABLAR |
|--------|
| habl**ara** o habl**ase** |
| habl**aras** o habl**ases** |
| habl**ara** o habl**ase** |
| habl**áramos** o habl**ásemos** |
| habl**arais** o habl**aseis** |
| habl**aran** o habl**asen** |

| COMER | SUBIR |
|-------|-------|
| com**iera** o com**iese** | sub**iera** o sub**iese** |
| com**ieras** o com**ieses** | sub**ieras** o sub**ieses** |
| com**iera** o com**iese** | sub**iera** o sub**iese** |
| com**iéramos** o com**iésemos** | sub**iéramos** o sub**iésemos** |
| com**ierais** o com**ieseis** | sub**ierais** o sub**ieseis** |
| com**ieran** o com**iesen** | sub**ieran** o sub**iesen** |

Los verbos irregulares en imperfecto de subjuntivo se forman a partir de la tercera persona del plural del indefinido: **fue**ron: **fue**ra o **fue**se; **tuvie**ron: **tuvie**ra o **tuvie**se; **supie**ron: **supie**ra o **supie**se...

ALGUNOS VERBOS IRREGULARES

| SER / IR | TENER |
|---|---|
| fuera o fuese | tuviera o tuviese |
| fueras o fueses | tuvieras o tuvieses |
| fuera o fuese | tuviera o tuviese |
| fuéramos o fuésemos | tuviéramos o tuviésemos |
| fuerais o fueseis | tuvierais o tuvieseis |
| fueran o fuesen | tuvieran o tuviesen |

El imperfecto de subjuntivo se usa en oraciones condicionales.
*Si **fuera** mayor, viajaría mucho.*

También se usa para trasladar una orden al discurso indirecto.
**Discurso directo:**
***Haced** uno con la tela más bonita del mundo.*
**Discurso indirecto:**
*Les pidió que **hicieran** uno con la tela más bonita del mundo.*

## CONSTRUCCIONES IMPERSONALES
### SE + VERBO EN 3ª PERSONA
*En este zoo **se ven** pingüinos, osos, leones...*
***Se buscan** candidatos que hablen varios idiomas.*
***Se necesita** joven para trabajar en tienda de moda los sábados.*
*En clase no **se puede** comer.*
***Se pone** aceite y, luego, un poco de cebolla.*

### VERBO EN 2ª PERSONA
*En Vigo **puedes** hacer excursiones, te **puedes** bañar...*
***Pones** aceite y, luego, un poco de cebolla.*

## PERÍFRASIS VERBALES

Las perífrasis son construcciones verbales que se forman con dos verbos: uno conjugado (que cambia su significado habitual) y otro en forma no personal (infinitivo o gerundio).

### PARA HABLAR DEL FUTURO
IR A + INFINITIVO
Para relacionar una acción futura con el momento en el que hablamos o para referirnos a una intención o proyecto.
*Luego **voy a ir** a comprar el pan.*
*Mañana **voy a llamar** a mis primos.*

Se usa especialmente cuando queremos relacionar una acción futura con el momento en el que hablamos o para referirnos a una intención o a un proyecto.
*Este verano **voy a viajar** por Andalucía.*
*Mañana **voy a salir** con Laura.*

En muchas de las variantes del español de Latinoamérica y de algunas zonas de España es más frecuente el uso de **ir a** + infinitivo que el del futuro imperfecto, tenga o no relación la acción futura con el presente.
*Yo **voy a ser** profesor, como mi padre.*

### PARA EXPRESAR OBLIGACIÓN Y PROHIBICIÓN
DEBER + INFINITIVO
*El Estado **debe proteger** a los ciudadanos.*

NO DEBER + INFINITIVO
*Los niños **no deben acostarse** tarde.*

TENER QUE + INFINITIVO
***Tenemos que consumir** más alimentos frescos.*

HAY QUE + INFINITIVO
***Hay que ponerse** mucha crema solar.*

### PARA EXPRESAR INICIO
EMPEZAR A + INFINITIVO
***Empezó a nevar** cuando salían del cine.*

PONERSE A + INFINITIVO
*Mar **se pone a llorar** otra vez.*

### PARA EXPRESAR INTERRUPCIÓN
DEJAR DE + INFINITIVO
*Emilio, **deja de ver** la tele y ponte a estudiar.*

### PARA EXPRESAR CONTINUIDAD
SEGUIR + GERUNDIO
*¿**Sigue trabajando** en la misma empresa?*

### PARA REFERIRNOS A UN FUTURO MUY PRÓXIMO
ESTAR A PUNTO DE + INFINITIVO
*El tren **está a punto de llegar**.*

### PARA REFERIRNOS A UN PASADO MUY RECIENTE
ACABAR DE + INFINITIVO
***Acaba de entrar** en casa.*

### PARA EXPRESAR REPETICIÓN
VOLVER A + INFINITIVO
*Me gustaría **volver a ver** esta obra de teatro.*

## SER Y ESTAR

### USOS DE SER
▸ Para identificar:
   *Mi primo **es** ese.*

▸ Para hablar de cualidades permanentes:
   *El Parque Nacional Yasuní **es** un parque del Ecuador.*

### USOS DE ESTAR
▸ Para localizar algo:
   *Bariloche **está** en Argentina.*
   *Los tomates **están** en la nevera.*

▸ Para hablar de características temporales:
*Hoy Enrique **está** muy guapo.*
***Estás** morena. ¿Has ido a la playa?*
*No sé qué le pasa a Eva. **Está** muy antipática.*

▸ Para hablar del resultado de una acción:
*Este boli **está** estropeado.*
*Esta planta **está** muerta.*
*La puerta de la calle **está** abierta.*

▸ Para estados físicos y psíquicos:
***Estoy** cansada.*
*La gata **está** enferma.*
*¿**Estás** contenta con las notas?*

▸ Para expresar una acción en curso:
*Sergio **está** yendo al cine.*

▸ Con **bien (buen)** / **mal**:
*Este libro **está** muy **bien**.*
*Enrique ya **está bien**; salió el martes del hospital.*
*Esto **está mal**: trece más nueve son veintidós.*
*Dicen que hoy el director **está de buen** humor.*

# RECURSOS PARA
# LA COMUNICACIÓN

## HABLAR DEL CARÁCTER

*Laura **es un poco** despistada.*
*Tus padres **son muy** simpáticos.*
***Es una persona muy** responsable y **muy** ordenada.*
*Yo **tengo mal carácter** y a veces **me enfado por** tonterías.*
***Es muy** / **bastante** / **demasiado** tímido/-a.*
***Es una persona un poco** especial.*
***Es un chico** / **una chica** / **un señor** / **una señora** / ... (muy)*
*amable / serio/-a / estricto/-a / comprensivo/-a.*

## HABLAR DE ESTADOS DE ÁNIMO

● *¿**Qué le pasa** a Silvia?*
○ *Que **está** muy **contenta** porque ha aprobado el curso.*
*Que **está enfadada** con su hermano.*
*Que **se ha puesto triste** por lo de su abuela.*
*Que **está de mal humor** porque ha perdido las llaves.*
● *Hoy **estoy** un poco **cansada**, no sé por qué.*
○ *Pues yo **estoy** muy **bien**, tengo mucha energía.*

*Silvia **es** una chica nerviosa. (Es su carácter.)*
*Silvia hoy **está** nerviosa. (Por alguna causa.)*

## EXPRESAR ENFADO

*No vas, **¡y se acabó!** / **¡y punto!***
*Vete a tu habitación, **que no estoy para cuentos**.*
***Pero ¿qué dices?***
***Ahora resulta que** yo tenía que comprar...*
***¡Pero si te lo dije ayer!***
***¿Cómo que** se te ha roto sin querer?*
***¡No es no!***
*Arco, ¡ven aquí **ahora mismo**!*
● *Termina la verdura **de una vez**.*
○ ***¡No me da la gana!***

## EXPRESAR SENTIMIENTOS QUE PROVOCAN OTROS:
### QUE + SUBJUNTIVO

| (yo) | (otra persona) |
|---|---|
| ***Me molesta (mucho)** / **fastidia*** | |
| ***No soporto** / **aguanto*** | **que** + subjuntivo |
| ***Me da igual** / **(mucha) rabia*** | ***que se ponga** mi ropa.* |
| ***Me pone (muy) nervioso/a*** | |
| ***Me gusta** / **encanta** / **hace gracia*** | |
| ***No me importa*** | |

## JUSTIFICAR(SE)

● *Mañana tienes que ir a casa de la abuela.*
○ *Pero **es que** he quedado con Lena...*
● *Pues lo siento, pero tienes que ir.*
○ ***Lo que pasa es que** su madre me espera para comer.*

## CONSEJOS Y RECOMENDACIONES

***Lo mejor que puedes hacer** es leer mucho.*
***Tienes que** ver películas.*
***Debes** leer mucho y también hablar.*
***Va muy bien** tener un compañero de intercambio.*
***Es importante** conocer la cultura de los países hispanos.*
***No deberías preocuparte**, seguro que te irá bien.*

### RECOMENDACIONES IMPERSONALES

| | |
|---|---|
| ***Habría que*** | |
| ***Va muy bien*** | *dormir ocho horas al día.* |
| ***Es bueno** / **necesario** /* | |
| *   **recomendable** / **importante**...* | |

| | |
|---|---|
| ***No habría que*** | |
| ***No es bueno** / **recomendable*** | *dormir demasiado poco.* |
| ***Es malo*** | |

## EXPRESAR PROHIBICIÓN

*No se puede* cantar.
*No podemos* entrar con comida.
*Está prohibido* aparcar aquí.
*No cantéis/entréis* con comida/*aparquéis* aquí.

## DAR INFORMACIÓN CON DIFERENTES GRADOS DE SEGURIDAD

*Creo que* estudiaré Química.
*Supongo que* me casaré algún día.
*Seguramente* iré a Ibiza en verano.
*No sé si* me casaré (o no), *depende* de muchos factores.

## HABLAR DE CAMBIO Y DE CONTINUIDAD

*He dejado de ir* a danza, ahora voy a música.
Ahora *empiezan a gustarnos* otras cosas.
Ramón *se ha convertido en* un chico muy estudioso.
Yo *sigo comprando* libros en papel.
Mar *se pone a llorar*.
Mi madre *está a punto de llegar*.
*Acaba de entrar* en casa.
A las nueve, *vuelve a llamar* por teléfono.

## EXPRESAR EL MODO

### ADVERBIOS
Entra *silenciosamente/despacio/...*

### GERUNDIO
Entra *llorando* y *gritando*.

### SIN + INFINITIVO
Entra *sin hacer* ruido.

### CON
Entra *con prisas/cara de/...*
Es una ciudad *con mucha vida nocturna*.

## HABLAR DE LA DURACIÓN

Estuve *varios días* en Madrid.
He pasado *un tiempo* en el extranjero.
He estado viajando *durante* dos semanas.
*Desde* el lunes *hasta* el jueves estaré en León.
¿*Cuánto hace que* conoces a Julia?
¿*Hace mucho que* sales con Iván?
*Hace* 10 años.
*Hace* tres meses *que* la conozco.
*Hace* mucho que *nos* conocemos.

## PEDIR LA OPINIÓN

¿Qué piensas/opinas sobre/de...?
¿Tú crees que...?
¿Tú qué piensas / opinas sobre...?
¿A ti qué te parece...?
Y tú, ¿cómo lo ves?/¿estás de acuerdo (con esto)?

## EXPRESAR PUNTOS DE VISTA Y ARGUMENTOS

### EXPONER
*Yo pienso que* los amigos se deben conservar para toda la vida.
*Yo creo que* compaginar estudio y diversión es importante.
*A mí me parece que* tendríamos que ser más honestos.
*Para mí* lo más importante es ser buena persona.

### REPLICAR (EXPRESANDO ACUERDO O DESACUERDO)
*Creo que tienes razón con* lo que dices.
*Yo no estoy nada de acuerdo con* Laura.
*Yo lo veo como* ella.
*Es verdad que* somos casi adultos, pero...
*En parte estoy de acuerdo*, pero...

### HACER VALORACIONES
¿*Qué te parece* no poder salir del aula durante un examen?

*(A mí) me parece...* | *bien/mal*.
| *justo/injusto*.
| *normal/extraño*.

*Yo creo que...* | *está bien/mal*.
| *es justo/injusto*.
| *es normal/extraño*.

| Es | injusto/horrible/una vergüenza/ | + que + presente |
| Me parece | conmovedor/esperanzador/bonito | de subjuntivo |

*Es una vergüenza que* las medicinas *sean* un negocio.

*Está muy bien/mal* | + que + presente de subjuntivo

*Está muy bien que* los gobiernos *se preocupen* por el medioambiente.

| Es preferible | que + subjuntivo |
| Es necesario | que tengan espíritu crítico. |
| Es recomendable | |
| Es interesante | infinitivo |
| ... | tener espíritu crítico. |

### EXPRESAR INTERÉS

*(A mí) me interesa/n* | bastante/mucho/
| muchísimo/sobre todo...

*(A mí) no me interesa/n* | nada/en absoluto...

● A mí *me interesan sobre todo* las noticias sobre tecnología.
○ A mí esas *no me interesan en absoluto*.

● *Lo que más me interesa es* la ciencia.
○ Pues a mí *lo que más me interesa son* las noticias culturales.

## PROPONER SOLUCIONES

### CON SUJETO PERSONAL
El gobierno **debería** construir más centros sanitarios y más escuelas.
**Deberíamos** ser más solidarios.

### IMPERSONAL
**Habría que**/**Se debería** pensar más en los demás.
**Debería haber** un carril para bicis.

## EL REGISTRO FORMAL

### REFERENCIAS A LO DICHO ANTERIORMENTE
CON SINÓNIMOS
**El agua** es un compuesto químico formado por dos átomos de hidrógeno y uno de oxígeno ($H_2O$). Este elemento es vital para el planeta.

### CON PRONOMBRES
Muchas veces retomamos lo dicho anteriormente.
**El agua es un elemento vital para los seres vivos.**
Esto tiene muchas consecuencias para la Humanidad.

### DEFINICIONES O ACLARACIONES EN LA MISMA FRASE
Wikipedia depende de la Fundación Wikimedia, **que es una organización sin ánimo de lucro**.

### USO DEL LENGUAJE PRECISO
Se evitan ambigüedades explicando con detalle las acciones o situaciones.
Inventó un software libre para **crear, intercambiar y revisar** contenidos en la web de forma **colaborativa, fácil y automática**.

### BÚSQUEDA DE LA OBJETIVIDAD Y DE LA EXPLICACIÓN SENCILLA
Youtube **es un sitio web donde cualquier usuario puede subir y compartir vídeos sin tener conocimientos informáticos.**

## EL DISCURSO ORAL: TEXTOS EXPOSITIVOS

### CONECTORES DISCURSIVOS
PARA EMPEZAR Y PRESENTAR EL TEMA
os voy/vamos a hablar de...
me gustaría hablaros de...

PARA ESTRUCTURAR LA EXPOSICIÓN O AÑADIR NUEVOS ASPECTOS
en primer/segundo lugar...
por una/otra parte...
en cuanto a.../(con) respecto a...
(también) hay que tener en cuenta que...
además (de)...

PARA RECORDAR ASPECTOS CONOCIDOS POR EL PÚBLICO
como es bien sabido... / como todos sabéis...

PARA DAR INFORMACIÓN SIN CITAR LAS FUENTES
se dice/algunos dicen... / se cree...

PARA DAR INFORMACIÓN CITANDO LAS FUENTES
según (datos de)...

PARA DAR INFORMACIÓN SUBJETIVA
personalmente, opino que...
en mi opinión...

PARA ANUNCIAR QUE SE TERMINA LA EXPOSICIÓN
para terminar, ...
en resumen, ...
por último, ...

PARA CONCLUIR
*Espero que os/les haya resultado interesante.*
*Muchas gracias por vuestra/su atención.*

## EL DISCURSO ESCRITO I: TEXTOS EXPOSITIVOS

### CONECTORES DISCURSIVOS
PARA REFORMULAR O SACAR CONCLUSIONES
así pues, ...
es decir, ...
de esta forma...
por este/estos motivo/s...
por consiguiente/tanto, ...
lo que/esto significa que.../por lo que...

PARA ORDENAR ARGUMENTOS
en primer/segundo lugar...
por último...

PARA EJEMPLIFICAR
en concreto, ...
(así,) por ejemplo, ...

PARA PLANTEARNOS INFORMACIÓN O DATOS CONTRADICTORIOS
aunque...
si bien...
sin embargo, ...
en cambio, ...

PARA DAR INFORMACIÓN CITANDO LAS FUENTES
según (datos de) ...
las estadísticas/los estudios indican que...

PARA ESTRUCTURAR LA EXPOSICIÓN O AÑADIR NUEVOS ASPECTOS
por una/otra parte, ...
de un/otro lado, ...
además, .../asimismo, ...

## PARA CONCLUIR O CERRAR
**en conclusión, ...**
**en resumen, ...**

## EL DISCURSO ESCRITO II: TEXTOS NARRATIVOS

### CONECTORES DISCURSIVOS
**INTRODUCCIÓN**
*Había una vez,* hace muchos años...
*Érase una vez,* ...

**NUDO**
*Una vez, ... / Un día, ...*
*Y entonces... / Y en ese momento...*

**DESENLACE**
*Y de ese modo... / Y así fue como...*
*Pasados varios días, ... / Al día siguiente, ... / Al cabo de un mes, ...*
*Al terminar... / Al llegar...*

**FINAL**
*Y así se acaba este cuento.*
*Y colorín, colorado, este cuento se ha acabado.*
*Y vivieron felices y comieron perdices.*

### NARRAR EN PASADO
PRETÉRITO INDEFINIDO / IMPERFECTO
Cuando hablamos de acontecimientos que ocurrieron en el pasado, podemos usar el **pretérito indefinido** y el **pretérito imperfecto**.

PRETÉRITO INDEFINIDO
Acciones terminadas en aquel momento. Hacen avanzar la historia.
*Aquel día* **salió** *de casa temprano.*

PRETÉRITO IMPERFECTO
Acciones no terminadas en ese momento, descripciones del pasado. Hacen que se detenga la historia y veamos lo que sucede alrededor de los acontecimientos.
*Hacía* frío y *llovía.*

PRETÉRITO PLUSCUAMPERFECTO
Utilizamos el pretérito pluscuamperfecto para marcar que una acción pasada ha ocurrido antes de otra ya mencionada.

## RECURSOS POÉTICOS

### LA REPETICIÓN
Repetición de una palabra, una frase, un estribillo, una pregunta... para dar mayor ritmo o dramatismo a los poemas.

### LA RIMA
Repetición de fonemas al final del verso, a partir de la última vocal acentuada (e incluida esta).
**Rima consonante:** se repiten todas las vocales y las consonantes de las sílabas.
**Rima asonante:** se repiten una o dos vocales.

### EL SÍMIL O COMPARACIÓN
Se comparan dos términos mediante el adverbio **como**.

### LA METÁFORA
Es la sustitución de una palabra por otra, porque entre estas dos palabras hay similitudes.

## PARTES DE UN CURRÍCULUM

DATOS PERSONALES
**Nacionalidad**
**Fecha de nacimiento**
**Lugar de nacimiento**
**Domicilio**

EXPERIENCIA PROFESIONAL
**Experiencia como...**
**Prácticas en...**

TITULACIÓN ACADÉMICA
**Graduado en Educación Secundaria Obligatoria**
**Bachillerato**
**Grado**
**Máster**

FORMACIÓN EXTRAACADÉMICA
**Diplomas**
**Certificados**
**Cursos de formación de...**

IDIOMAS
**Nivel: A1, A2, B1, B2, C1, C2**
**Competencia oral**
**Competencia escrita**

## CARTA FORMAL PARA SOLICITAR UNA BECA

| Saludo | *Estimados Sres.:* *Estimada Sra. López:* *Muy señores míos:* |
|---|---|
| Motivo de la carta | *Me dirijo a ustedes para solicitar...* *Les remito esta carta para...* |
| Presentación | *Me llamo...* *Permítanme presentarme, mi nombre es...* |
| Exposición de razones para ser seleccionado | *Soy..., por eso...* *Me gustaría...* *Sería una oportunidad para mí...* |
| Despedida | *Un saludo muy cordial,* *Reciba un cordial saludo.* *Atentamente,* |

# VERBOS REGULARES

## INDICATIVO

| Presente | Pretérito imperfecto | Pretérito indefinido | Pretérito perfecto (haber + participio) | | Pret. pluscuamperfecto (haber + participio) | | Futuro |
|---|---|---|---|---|---|---|---|

**INFINITIVO: ESTUDIAR  GERUNDIO: ESTUDIANDO | PARTICIPIO: ESTUDIADO**

| Presente | Pretérito imperfecto | Pretérito indefinido | Pretérito perfecto | | Pret. pluscuamperfecto | | Futuro |
|---|---|---|---|---|---|---|---|
| estudio | estudiaba | estudié | he | estudiado | había | estudiado | estudiaré |
| estudias | estudiabas | estudiaste | has | estudiado | habías | estudiado | estudiarás |
| estudia | estudiaba | estudió | ha | estudiado | había | estudiado | estudiará |
| estudiamos | estudiábamos | estudiamos | hemos | estudiado | habíamos | estudiado | estudiaremos |
| estudiáis | estudiabais | estudiasteis | habéis | estudiado | habíais | estudiado | estudiaréis |
| estudian | estudiaban | estudiaron | han | estudiado | habían | estudiado | estudiarán |

**INFINITIVO: COMER  GERUNDIO: COMIENDO | PARTICIPIO: COMIDO**

| Presente | Pretérito imperfecto | Pretérito indefinido | Pretérito perfecto | | Pret. pluscuamperfecto | | Futuro |
|---|---|---|---|---|---|---|---|
| como | comía | comí | he | comido | había | comido | comeré |
| comes | comías | comiste | has | comido | habías | comido | comerás |
| come | comía | comió | ha | comido | había | comido | comerá |
| comemos | comíamos | comimos | hemos | comido | habíamos | comido | comeremos |
| coméis | comíais | comisteis | habéis | comido | habíais | comido | comeréis |
| comen | comían | comieron | han | comido | habían | comido | comerán |

**INFINITIVO: SUBIR  GERUNDIO: SUBIENDO | PARTICIPIO: SUBIDO**

| Presente | Pretérito imperfecto | Pretérito indefinido | Pretérito perfecto | | Pret. pluscuamperfecto | | Futuro |
|---|---|---|---|---|---|---|---|
| subo | subía | subí | he | subido | había | subido | subiré |
| subes | subías | subiste | has | subido | habías | subido | subirás |
| sube | subía | subió | ha | subido | había | subido | subirá |
| subimos | subíamos | subimos | hemos | subido | habíamos | subido | subiremos |
| subís | subíais | subisteis | habéis | subido | habíais | subido | subiréis |
| suben | subían | subieron | han | subido | habían | subido | subirán |

## INDICATIVO / IMPERATIVO / SUBJUNTIVO

| Condicional | Imperativo afirmativo | Imperativo negativo | Presente | Imperfecto | | |
|---|---|---|---|---|---|---|
| estudiaría |  |  | estudie | estudiara | o | estudiase |
| estudiarías | estudia | no estudies | estudies | estudiaras | o | estudiases |
| estudiaría | estudie | no estudie | estudie | estudiara | o | estudiase |
| estudiaríamos |  |  | estudiemos | estudiáramos | o | estudiásemos |
| estudiaríais | estudiad | no estudiéis | estudiéis | estudiarais | o | estudiaseis |
| estudiarían | estudien | no estudien | estudien | estudiaran | o | estudiasen |
| comería |  |  | coma | comiera | o | comiese |
| comerías | come | no comas | comas | comieras | o | comieses |
| comería | coma | no coma | coma | comiera | o | comiese |
| comeríamos |  |  | comamos | comiéramos | o | comiésemos |
| comeríais | comed | no comáis | comáis | comierais | o | comieseis |
| comerían | coman | no coman | coman | comieran | o | comiesen |
| subiría |  |  | suba | subiera | o | subiese |
| subirías | sube | no subas | subas | subieras | o | subieses |
| subiría | suba | no suba | suba | subiera | o | subiese |
| subiríamos |  |  | subamos | subiéramos | o | subiésemos |
| subiríais | subid | no subáis | subáis | subierais | o | subieseis |
| subirían | suban | no suban | suban | subieran | o | subiesen |

## * PARTICIPIOS IRREGULARES

| abrir | → | **abierto** | escribir | → | **escrito** | ir | → | **ido** | romper | → | **roto** |
|---|---|---|---|---|---|---|---|---|---|---|---|
| cubrir | → | **cubierto** | freír | → | **frito / freído** | morir | → | **muerto** | ver | → | **visto** |
| decir | → | **dicho** | hacer | → | **hecho** | poner | → | **puesto** | volver | → | **vuelto** |

## VERBOS IRREGULARES

| INDICATIVO | | | | | IMPERATIVO | | SUBJUNTIVO | |
| Presente | Pretérito imperfecto | Pretérito indefinido | Futuro | Condicional | Imperativo Afirmativo | Imperativo negativo | Presente | Imperfecto |
|---|---|---|---|---|---|---|---|---|

### CAER  GERUNDIO: CAYENDO | PARTICIPIO: CAÍDO

| Presente | Pretérito imperfecto | Pretérito indefinido | Futuro | Condicional | Imperativo Afirmativo | Imperativo negativo | Presente | Imperfecto | | |
|---|---|---|---|---|---|---|---|---|---|---|
| caigo | caía | caí | caeré | caería | | | caiga | cayera | o | cayese |
| caes | caías | caíste | caerás | caerías | cae | no caigas | caigas | cayeras | o | cayeses |
| cae | caía | cayó | caerá | caería | caiga | no caiga | caigas | cayera | o | cayeses |
| caemos | caíamos | caímos | caeremos | caeríamos | | | caigamos | cayéramos | c | cayésemos |
| caéis | caíais | caísteis | caeréis | caeríais | caed | no caigáis | caigáis | cayerais | o | cayeseis |
| caen | caían | cayeron | caerán | caerían | caigan | no caigan | caigan | cayeran | o | cayesen |

### CONOCER  GERUNDIO: CONOCIENDO | PARTICIPIO: CONOCIDO

| Presente | Pretérito imperfecto | Pretérito indefinido | Futuro | Condicional | Imperativo Afirmativo | Imperativo negativo | Presente | Imperfecto | | |
|---|---|---|---|---|---|---|---|---|---|---|
| conozco | conocía | conocí | conoceré | conocería | | | conozca | conociera | o | conociese |
| conoces | conocías | conociste | conocerás | conocerías | conoce | no conozcas | conozcas | conocieras | o | conocieses |
| conoce | conocía | conoció | conocerá | conocería | conozca | no conozca | conozcas | conociera | o | conocieses |
| conocemos | conocíamos | conocimos | conoceremos | conoceríamos | | | conozcamos | conociéramos | c | conociésemos |
| conocéis | conocíais | conocisteis | conoceréis | conoceríais | conoced | no conozcáis | conozcáis | conocierais | c | conocieseis |
| conocen | conocían | conocieron | conocerán | conocerían | conozcan | no conozcan | conozcan | conocieran | o | conociesen |

### DAR  GERUNDIO: DANDO | PARTICIPIO: DADO

| Presente | Pretérito imperfecto | Pretérito indefinido | Futuro | Condicional | Imperativo Afirmativo | Imperativo negativo | Presente | Imperfecto | | |
|---|---|---|---|---|---|---|---|---|---|---|
| doy | daba | di | daré | daría | | | dé | diera | o | diese |
| das | dabas | diste | darás | darías | da | no des | des | dieras | o | dieses |
| da | daba | dio | dará | daría | dé | no dé | dé | diera | o | dieses |
| damos | dábamos | dimos | daremos | daríamos | | | demos | diéramos | c | diésemos |
| dais | dabais | disteis | daréis | daríais | dad | no deis | deis | dierais | o | dieseis |
| dan | daban | dieron | darán | darían | den | no den | den | dieran | o | diesen |

### DECIR  GERUNDIO: DICIENDO | PARTICIPIO: DICHO

| Presente | Pretérito imperfecto | Pretérito indefinido | Futuro | Condicional | Imperativo Afirmativo | Imperativo negativo | Presente | Imperfecto | | |
|---|---|---|---|---|---|---|---|---|---|---|
| digo | decía | dije | diré | diría | | | diga | dijera | o | dijese |
| dices | decías | dijiste | dirás | dirías | di | no digas | digas | dijeras | o | dijeses |
| dice | decía | dijo | dirá | diría | diga | no diga | diga | dijera | o | dijeses |
| decimos | decíamos | dijimos | diremos | diríamos | | | digamos | dijéramos | c | dijésemos |
| decís | decíais | dijisteis | diréis | diríais | decid | no digáis | digáis | dijerais | o | dijeseis |
| dicen | decían | dijeron | dirán | dirían | digan | no digan | digan | dijeran | o | dijesen |

### DORMIR  GERUNDIO: DURMIENDO | PARTICIPIO: DORMIDO

| Presente | Pretérito imperfecto | Pretérito indefinido | Futuro | Condicional | Imperativo Afirmativo | Imperativo negativo | Presente | Imperfecto | | |
|---|---|---|---|---|---|---|---|---|---|---|
| duermo | dormía | dormí | dormiré | dormiría | | | duerma | durmiera | o | durmiese |
| duermes | dormías | dormiste | dormirás | dormirías | duerme | no duermas | duermas | durmieras | o | durmieses |
| duerme | dormía | durmió | dormirá | dormiría | duerma | no duerma | duerma | durmiera | o | durmieses |
| dormimos | dormíamos | dormimos | dormiremos | dormiríamos | | | durmamos | durmiéramos | c | durmiésemos |
| dormís | dormíais | dormisteis | dormiréis | dormiríais | dormid | no durmáis | durmáis | durmierais | o | durmieseis |
| duermen | dormían | durmieron | dormirán | dormirían | duerman | no duerman | duerman | durmieran | o | durmiesen |

### ESTAR  GERUNDIO: ESTANDO | PARTICIPIO: ESTADO

| Presente | Pretérito imperfecto | Pretérito indefinido | Futuro | Condicional | Imperativo Afirmativo | Imperativo negativo | Presente | Imperfecto | | |
|---|---|---|---|---|---|---|---|---|---|---|
| estoy | estaba | estuve | estaré | estaría | | | esté | estuviera | o | estuviese |
| estás | estabas | estuviste | estarás | estarías | está | no estés | estés | estuvieras | o | estuvieses |
| está | estaba | estuvo | estará | estaría | esté | no esté | esté | estuviera | o | estuvieses |
| estamos | estábamos | estuvimos | estaremos | estaríamos | | | estemos | estuviéramos | c | estuviésemos |
| estáis | estabais | estuvisteis | estaréis | estaríais | estad | no estéis | estéis | estuvierais | o | estuvieseis |
| están | estaban | estuvieron | estarán | estarían | estén | no estén | estén | estuvieran | o | estuviesen |

### HABER  GERUNDIO: HABIENDO | PARTICIPIO: HABIDO

| Presente | Pretérito imperfecto | Pretérito indefinido | Futuro | Condicional | Imperativo Afirmativo | Imperativo negativo | Presente | Imperfecto | | |
|---|---|---|---|---|---|---|---|---|---|---|
| he | había | hubo | habré | habría | | | haya | hubiera | o | hubiese |
| has | habías | hubiste | habrás | habrías | | | hayas | hubieras | o | hubieses |
| ha / hay* | había | hubo | habrá | habría | | | haya | hubiera | o | hubieses |
| hemos | habíamos | hubimos | habremos | habríamos | | | hayamos | hubiéramos | c | hubiésemos |
| habéis | habíais | hubisteis | habréis | habríais | | | hayáis | hubierais | o | hubieseis |
| han | habían | hubieron | habrán | habrían | * forma impersonal | * forma impersonal | hayan | hubieran | o | hubiesen |

# VERBOS IRREGULARES

| INDICATIVO | | | | | IMPERATIVO | | SUBJUNTIVO | |
|---|---|---|---|---|---|---|---|---|
| Presente | Pretérito imperfecto | Pretérito indefinido | Futuro | Condicional | Imperativo Afirmativo | Imperativo negativo | Presente | Imperfecto |

## HACER   GERUNDIO: HACIENDO  |  PARTICIPIO: HECHO

| | | | | | | | | |
|---|---|---|---|---|---|---|---|---|
| hago | hacía | hice | haré | haría | | | haga | hiciera  o  hiciese |
| haces | hacías | hiciste | harás | harías | haz | no hagas | hagas | hicieras  o  hicieses |
| hace | hacía | hizo | hará | haría | haga | no haga | haga | hiciera  o  hiciese |
| hacemos | hacíamos | hicimos | haremos | haríamos | | | hagamos | hiciéramos  o  hiciésemos |
| hacéis | hacíais | hicisteis | haréis | haríais | haced | no hagáis | hagáis | hicierais  o  hicieseis |
| hacen | hacían | hicieron | harán | harían | hagan | no hagan | hagan | hicieran  o  hiciesen |

## INCLUIR   GERUNDIO: INCLUYENDO  |  PARTICIPIO: INCLUIDO

| | | | | | | | | |
|---|---|---|---|---|---|---|---|---|
| incluyo | incluía | incluí | incluiré | incluiría | | | incluya | incluyera  o  incluyese |
| incluyes | incluías | incluiste | incluirás | incluirías | incluye | no incluyas | incluyas | incluyeras  o  incluyeses |
| incluye | incluía | incluyó | incluirá | incluiría | incluya | no incluya | incluya | incluyera  o  incluyeses |
| incluimos | incluíamos | incluimos | incluiremos | incluiríamos | | | incluyamos | incluyéramos o incluyésemos |
| incluís | incluíais | incluisteis | incluiréis | incluiríais | incluid | no incluyáis | incluyáis | incluyerais  o  incluyeseis |
| incluyen | incluían | incluyeron | incluirán | incluirían | incluyan | no incluyan | incluyan | incluyeran  o  incluyesen |

## IR   GERUNDIO: YENDO  |  PARTICIPIO: IDO

| | | | | | | | | |
|---|---|---|---|---|---|---|---|---|
| voy | iba | fui | iré | iría | | | vaya | fuera  o  fuese |
| vas | ibas | fuiste | irás | irías | ve | no vayas | vayas | fueras  o  fueses |
| va | iba | fue | irá | iría | vaya | no vaya | vaya | fuera  o  fueses |
| vamos | íbamos | fuimos | iremos | iríamos | | | vayamos | fuéramos  o  fuésemos |
| vais | ibais | fuisteis | iréis | iríais | id | no vayáis | vayáis | fuerais  o  fueseis |
| van | iban | fueron | irán | irían | vayan | no vayan | vayan | fueran  o  fuesen |

## JUGAR   GERUNDIO: JUGANDO  |  PARTICIPIO: JUGADO

| | | | | | | | | |
|---|---|---|---|---|---|---|---|---|
| juego | jugaba | jugué | jugaré | jugaría | | | juegue | jugara  o  jugase |
| juegas | jugabas | jugaste | jugarás | jugarías | juega | no juegues | juegues | jugaras  o  jugases |
| juega | jugaba | jugó | jugará | jugaría | juegue | no juegue | juegue | jugara  o  jugases |
| jugamos | jugábamos | jugamos | jugaremos | jugaríamos | | | juguemos | jugáramos  o  jugásemos |
| jugáis | jugabais | jugasteis | jugaréis | jugaríais | jugad | no juguéis | juguéis | jugarais  o  jugaseis |
| juegan | jugaban | jugaron | jugarán | jugarían | jueguen | no jueguen | jueguen | jugaran  o  jugasen |

## MOVER   GERUNDIO: MOVIENDO  |  PARTICIPIO: MOVIDO

| | | | | | | | | |
|---|---|---|---|---|---|---|---|---|
| muevo | movía | moví | moveré | movería | | | mueva | moviera  o  moviese |
| mueves | movías | moviste | moverás | moverías | mueve | no muevas | muevas | movieras  o  movieses |
| mueve | movía | movió | moverá | movería | mueva | no mueva | mueva | moviera  o  movieses |
| movemos | movíamos | movimos | moveremos | moveríamos | | | movamos | moviéramos  o  moviésemos |
| movéis | movíais | movisteis | moveréis | moveríais | moved | no mováis | mováis | movierais  o  movieseis |
| mueven | movían | movieron | moverán | moverían | muevan | no muevan | muevan | movieran  o  moviesen |

## OÍR   GERUNDIO: OYENDO  |  PARTICIPIO: OÍDO

| | | | | | | | | |
|---|---|---|---|---|---|---|---|---|
| oigo | oía | oí | oiré | oiría | | | oiga | oyera  o  oyese |
| oyes | oías | oíste | oirás | oirías | oye | no oigas | oigas | oyeras  o  oyeses |
| oye | oía | oyó | oirá | oiría | oiga | no oiga | oiga | oyera  o  oyeses |
| oímos | oíamos | oímos | oiremos | oiríamos | | | oigamos | oyéramos  o  oyésemos |
| oís | oíais | oísteis | oiréis | oiríais | oíd | no oigáis | oigáis | oyerais  o  oyeseis |
| oyen | oían | oyeron | oirán | oirían | oigan | no oigan | oigan | oyeran  o  oyesen |

## PENSAR   GERUNDIO: PENSANDO  |  PARTICIPIO: PENSADO

| | | | | | | | | |
|---|---|---|---|---|---|---|---|---|
| pienso | pensaba | pensé | pensaré | pensaría | | | piense | pensara  o  pensase |
| piensas | pensabas | pensaste | pensarás | pensarías | piensa | no pienses | pienses | pensaras  o  pensases |
| piensa | pensaba | pensó | pensará | pensaría | piense | no piense | piense | pensara  o  pensases |
| pensamos | pensábamos | pensamos | pensaremos | pensaríamos | | | pensemos | pensáramos  o  pensásemos |
| pensáis | pensabais | pensasteis | pensaréis | pensaríais | pensad | no penséis | penséis | pensarais  o  pensaseis |
| piensan | pensaban | pensaron | pensarán | pensarían | piensen | no piensen | piensen | pensara  o  pensasen |

# VERBOS IRREGULARES

| INDICATIVO | | | | | IMPERATIVO | | SUBJUNTIVO | | | |
|---|---|---|---|---|---|---|---|---|---|---|
| Presente | Pretérito imperfecto | Pretérito indefinido | Futuro | Condicional | Imperativo Afirmativo | Imperativo negativo | Presente | Imperfecto | | |

## PERDER  GERUNDIO: **PERDIENDO** | PARTICIPIO: **PERDIDO**

| Presente | Pret. imperfecto | Pret. indefinido | Futuro | Condicional | Imp. Afirmativo | Imp. negativo | Presente | Imperfecto | | |
|---|---|---|---|---|---|---|---|---|---|---|
| **pierdo** | perdía | perdí | haré | haría | | | **pierda** | perdiera | o | perdieses |
| **pierdes** | perdías | perdiste | harás | harías | **pierde** | no **pierdas** | **pierdas** | perdieras | o | perdieses |
| **pierde** | perdía | perdió | hará | haría | **pierda** | no **pierda** | **pierda** | perdiera | o | perdiese |
| perdemos | perdíamos | perdimos | haremos | haríamos | | | perdamos | perdiéramos | o | perdiésemos |
| perdéis | perdíais | perdisteis | haréis | haríais | perded | no perdáis | perdáis | perdierais | o | perdieseis |
| **pierden** | perdían | perdieron | harán | harían | **pierdan** | no **pierdan** | **pierdan** | perdieran | o | perdiesen |

## PODER  GERUNDIO: **PUDIENDO** | PARTICIPIO: **PODIDO**

| Presente | Pret. imperfecto | Pret. indefinido | Futuro | Condicional | Imp. Afirmativo | Imp. negativo | Presente | Imperfecto | | |
|---|---|---|---|---|---|---|---|---|---|---|
| **puedo** | podía | **pude** | podré | podría | | | **pueda** | pudiera | o | **pudiese** |
| **puedes** | podías | **pudiste** | podrás | podrías | **puede** | no **puedas** | **puedas** | pudieras | o | **pudieses** |
| **puede** | podía | **pudo** | podrá | podría | **pueda** | no **pueda** | **pueda** | pudiera | o | **pudieses** |
| podemos | podíamos | **pudimos** | podremos | podríamos | | | podamos | pudiéramos | o | **pudiésemos** |
| podéis | podíais | **pudisteis** | podréis | podríais | poded | no podáis | podáis | pudierais | o | **pudieseis** |
| **pueden** | podían | **pudieron** | podrán | podrían | **puedan** | no **puedan** | **puedan** | pudieran | o | **pudiesen** |

## PONER  GERUNDIO: **PONIENDO** | PARTICIPIO: **PUESTO**

| Presente | Pret. imperfecto | Pret. indefinido | Futuro | Condicional | Imp. Afirmativo | Imp. negativo | Presente | Imperfecto | | |
|---|---|---|---|---|---|---|---|---|---|---|
| **pongo** | ponía | **puse** | pondré | pondría | | | **ponga** | pusiera | o | **pusiese** |
| pones | ponías | **pusiste** | pondrás | pondrías | **pon** | no **pongas** | **pongas** | pusieras | o | **pusieses** |
| pone | ponía | **puso** | pondrá | pondría | **ponga** | no **ponga** | **ponga** | pusiera | o | **pusieses** |
| ponemos | poníamos | **pusimos** | pondremos | pondríamos | | | **pongamos** | pusiéramos | o | **pusiésemos** |
| ponéis | poníais | **pusisteis** | pondréis | pondríais | poned | no **pongáis** | **pongáis** | pusierais | o | **pusieseis** |
| ponen | ponían | **pusieron** | pondrán | pondrían | **pongan** | no **pongan** | **pongan** | pusieran | o | **pusiesen** |

## QUERER  GERUNDIO: **QUERIENDO** | PARTICIPIO: **QUERIDO**

| Presente | Pret. imperfecto | Pret. indefinido | Futuro | Condicional | Imp. Afirmativo | Imp. negativo | Presente | Imperfecto | | |
|---|---|---|---|---|---|---|---|---|---|---|
| **quiero** | quería | **quise** | querré | querría | | | **quiera** | quisiera | o | **quisiese** |
| **quieres** | querías | **quisiste** | querrás | querrías | **quiere** | no **quieras** | **quieras** | quisieras | o | **quisieses** |
| **quiere** | quería | **quiso** | querrá | querría | **quiera** | no **quiera** | **quiera** | quisiera | o | **quisieses** |
| queremos | queríamos | **quisimos** | querremos | querríamos | | | queramos | quisiéramos | o | **quisiésemos** |
| queréis | queríais | **quisisteis** | querréis | querríais | quered | no queramos | queráis | quisierais | o | **quisieseis** |
| **quieren** | querían | **quisieron** | querrán | querrían | **quieran** | no **quiera** | **quieran** | quisieran | o | **quisiesen** |

## REÍR  GERUNDIO: **RIENDO** | PARTICIPIO: **REÍDO**

| Presente | Pret. imperfecto | Pret. indefinido | Futuro | Condicional | Imp. Afirmativo | Imp. negativo | Presente | Imperfecto | | |
|---|---|---|---|---|---|---|---|---|---|---|
| **río** | reía | reí | reiré | reiría | | | **ría** | riera | o | **riese** |
| **ríes** | reías | reíste | reirás | reirías | **ríe** | no **rías** | **rías** | rieras | o | **rieses** |
| **ríe** | reía | **rió** | reirá | reiría | **ría** | no **ría** | **ría** | riera | o | **rieses** |
| reímos | reíamos | reímos | reiremos | reiríamos | | | riamos | riéramos | o | **riésemos** |
| reís | reíais | reísteis | reiréis | reiríais | reid | no **riáis** | **riáis** | rierais | o | **rieseis** |
| **ríen** | reían | **rieron** | reirán | reirían | **rían** | no **rían** | **rían** | rieran | o | **riesen** |

## SABER  GERUNDIO: **SABIENDO** | PARTICIPIO: **SABIDO**

| Presente | Pret. imperfecto | Pret. indefinido | Futuro | Condicional | Imp. Afirmativo | Imp. negativo | Presente | Imperfecto | | |
|---|---|---|---|---|---|---|---|---|---|---|
| **sé** | sabía | **supe** | sabré | sabría | | | **sepa** | supiera | o | **supiese** |
| sabes | sabías | **supiste** | sabrás | sabrías | sabe | no **sepas** | **sepas** | supieras | o | **supieses** |
| sabe | sabía | **supo** | sabrá | sabría | **sepa** | no **sepa** | **sepa** | supiera | o | **supieses** |
| sabemos | sabíamos | **supimos** | sabremos | sabríamos | | | **sepamos** | supiéramos | o | **supiésemos** |
| sabéis | sabíais | **supisteis** | sabréis | sabríais | sabed | no **sepamos** | **sepáis** | supierais | o | **supieseis** |
| saben | sabían | **supieron** | sabrán | sabrían | **sepan** | no **sepan** | **sepan** | supieran | o | **supiesen** |

## SALIR  GERUNDIO: **SALIENDO** | PARTICIPIO: **SALIDO**

| Presente | Pret. imperfecto | Pret. indefinido | Futuro | Condicional | Imp. Afirmativo | Imp. negativo | Presente | Imperfecto | | |
|---|---|---|---|---|---|---|---|---|---|---|
| **salgo** | salía | salí | **saldré** | **saldría** | | | **salga** | saliera | o | saliese |
| sales | salías | saliste | **saldrás** | **saldrías** | **sal** | no **salgas** | **salgas** | salieras | o | salieses |
| sale | salía | salió | **saldrá** | **saldría** | **salga** | no **salga** | **salga** | saliera | o | salieses |
| salimos | salíamos | salimos | **saldremos** | **saldríamos** | | | **salgamos** | saliéramos | o | saliésemos |
| salís | salíais | salisteis | **saldréis** | **saldríais** | salid | no **salgáis** | **salgáis** | salierais | o | salieseis |
| salen | salían | salieron | **saldrán** | **saldrían** | **salgan** | no **salga** | **salgan** | saliera | o | saliesen |

## VERBOS IRREGULARES

| INDICATIVO | | | | | IMPERATIVO | | SUBJUNTIVO | | | |
|---|---|---|---|---|---|---|---|---|---|---|
| Presente | Pretérito imperfecto | Pretérito indefinido | Futuro | Condicional | Imperativo Afirmativo | Imperativo negativo | Presente | Imperfecto | | |

### SENTIR  GERUNDIO: **SINTIENDO**  |  PARTICIPIO: **SENTIDO**

| | | | | | | | | | | |
|---|---|---|---|---|---|---|---|---|---|---|
| siento | sentía | sentí | sentiré | sentiría | | | sienta | sintiera | o | sintiese |
| sientes | sentías | sentiste | sentirás | sentirías | siente | no sientas | sientas | sintieras | o | sintieses |
| siente | sentía | sintió | sentirá | sentiría | sienta | no sienta | sienta | sintiera | o | sintieses |
| sentimos | sentíamos | sentimos | sentiremos | sentiríamos | | | sintamos | sintiéramos | o | sintiésemos |
| sentís | sentíais | sentisteis | sentiréis | sentiríais | sentid | no sintáis | sintáis | sintierais | o | sintieseis |
| sienten | sentían | sintieron | sentirán | sentirían | sientan | no sientan | sientan | sintieran | o | sintiesen |

### SER  GERUNDIO: **SIENDO**  |  PARTICIPIO: **SIDO**

| | | | | | | | | | | |
|---|---|---|---|---|---|---|---|---|---|---|
| soy | era | fui | seré | sería | | | sea | fuera | o | fuese |
| eres | eras | fuiste | serás | serías | sé | no seas | seas | fueras | o | fueses |
| es | era | fue | será | sería | sea | no sea | sea | fuera | o | fueses |
| somos | éramos | fuimos | seremos | seríamos | | | seamos | fuéramos | o | fuésemos |
| sois | erais | fuisteis | seréis | seríais | sed | no seáis | seáis | fuerais | o | fueseis |
| son | eran | fueron | serán | serían | sean | no sean | sean | fueran | o | fuesen |

### SOÑAR  GERUNDIO: **SOÑANDO**  |  PARTICIPIO: **SOÑADO**

| | | | | | | | | | | |
|---|---|---|---|---|---|---|---|---|---|---|
| sueño | soñaba | soñé | soñaré | soñaría | | | sueñe | soñara | o | soñase |
| sueñas | soñabas | soñaste | soñarás | soñarías | sueña | no sueñes | sueñes | soñaras | o | soñases |
| sueña | soñaba | soñó | soñará | soñaría | sueñe | no sueñe | sueñe | soñara | o | soñase |
| soñamos | soñábamos | soñamos | soñaremos | soñaríamos | | | soñemos | soñáramos | o | soñásemos |
| soñáis | soñabais | soñasteis | soñaréis | soñaríais | soñad | no soñéis | soñéis | soñarais | o | soñaseis |
| sueñan | soñaban | soñaron | soñarán | soñarían | sueñen | no sueñen | sueñen | soñaran | o | soñasen |

### TENER  GERUNDIO: **TENIENDO**  |  PARTICIPIO: **TENIDO**

| | | | | | | | | | | |
|---|---|---|---|---|---|---|---|---|---|---|
| tengo | tenía | tuve | tendré | tendría | | | tenga | tuviera | o | tuviese |
| tienes | tenías | tuviste | tendrás | tendrías | ten | no tengas | tengas | tuvieras | o | tuvieses |
| tiene | tenía | tuvo | tendrá | tendría | tenga | no tenga | tenga | tuviera | o | tuvieses |
| tenemos | teníamos | tuvimos | tendremos | tendríamos | | | tengamos | tuviéramos | o | tuviésemos |
| tenéis | teníais | tuvisteis | tendréis | tendríais | tened | no tengáis | tengáis | tuvierais | o | tuvieseis |
| tienen | tenían | tuvieron | tendrán | tendrían | tengan | no tengan | tengan | tuvieran | o | tuviesen |

### TRAER  GERUNDIO: **TRAYENDO**  |  PARTICIPIO: **TRAÍDO**

| | | | | | | | | | | |
|---|---|---|---|---|---|---|---|---|---|---|
| traigo | traía | traje | traeré | traería | | | traiga | trajera | o | trajese |
| traes | traías | trajiste | traerás | traerías | trae | no traigas | traigas | trajeras | o | trajeses |
| trae | traía | trajo | traerá | traería | traiga | no traiga | traiga | trajera | o | trajeses |
| traemos | traíamos | trajimos | traeremos | traeríamos | | | traigamos | trajéramos | o | trajésemos |
| traéis | traíais | trajisteis | traeréis | traeríais | traed | no traigáis | traigáis | trajerais | o | trajeseis |
| traen | traían | trajeron | traerán | traerían | traigan | no traigan | traigan | trajeran | o | trajesen |

### VENIR  GERUNDIO: **VINIENDO**  |  PARTICIPIO: **VENIDO**

| | | | | | | | | | | |
|---|---|---|---|---|---|---|---|---|---|---|
| vengo | venía | vine | vendré | vendría | | | venga | viniera | o | viniese |
| vienes | venías | viniste | vendrás | vendrías | ven | no vengas | vengas | vinieras | o | vinieses |
| viene | venía | vino | vendrá | vendría | venga | no venga | venga | viniera | o | vinieses |
| venimos | veníamos | vinimos | vendremos | vendríamos | | | vengamos | viniéramos | o | viniésemos |
| venís | veníais | vinisteis | vendréis | vendríais | venid | no vengáis | vengáis | vinierais | o | vinieseis |
| vienen | venían | vinieron | vendrán | vendrían | vengan | no vengan | vengan | vinieran | o | viniesen |

### VER  GERUNDIO: **VIENDO**  |  PARTICIPIO: **VISTO**

| | | | | | | | | | | |
|---|---|---|---|---|---|---|---|---|---|---|
| veo | veía | vi | veré | vería | | | vea | viera | o | viese |
| ves | veías | viste | verás | verías | ve | no veas | veas | vieras | o | vieses |
| ve | veía | vio | verá | vería | vea | no vea | vea | viera | o | vieses |
| vemos | veíamos | vimos | veremos | veríamos | | | veamos | viéramos | o | viésemos |
| veis | veíais | visteis | veréis | veríais | ved | no veáis | veáis | vierais | o | vieseis |
| ven | veían | vieron | verán | verían | vean | no vean | vea | vieran | o | viesen |

# Enero ▸ DÍA 6

## LOS REYES MAGOS
España

En muchos países de tradición católica, desde hace muchos siglos, el 6 de enero se celebra la festividad de los **Reyes Magos**. En España y en los países de habla hispana, es costumbre dejar regalos a los niños (y también, por extensión, a los mayores) en la noche del día 5 de enero. Los niños creen que son los reyes quienes han puesto los regalos. En Uruguay, el 6 de enero se llama "Día de los niños".

# Febrero ▸ DÍA DE CARNAVAL

## LA DIABLADA
Bolivia

En la ciudad minera de Oruro se celebra, durante la fiesta del Carnaval, la **Diablada**, un baile de inspiración católica. Se trata de una danza multitudinaria en la que los bailarines van vestidos con máscaras de demonios o de ángeles; simboliza la lucha del Bien contra el Mal y la derrota de los siete pecados capitales.

# Marzo ▸ DÍAS 15 AL 19

## LAS FALLAS
Valencia, España

Entre el 15 y el 19 de marzo se celebra en Valencia la fiesta de las **Fallas**, que son unas enormes esculturas hechas de papel y cartón sobre un armazón de madera. Estas esculturas se colocan por las calles de Valencia y se queman la noche del día 19 entre fuegos artificiales, explosiones, pólvora y enormes llamaradas. Cada año, los muñecos de las Fallas satirizan los acontecimientos sociales y políticos más destacados del año.

# Abril ▶ DÍA 23

## DÍA DEL LIBRO, SANT JORDI
Cataluña, España

En Cataluña, el 23 de abril se celebra **Sant Jordi** (San Jorge). Las calles se llenan de puestos de libros y de rosas, ya que es tradición regalarlos a las personas queridas. Además, este día se conmemora en todo el mundo el aniversario de la muerte de tres escritores: Miguel de Cervantes, William Shakespeare y El Inca Garcilaso de la Vega (cronista y escritor peruano). Por esta razón, la UNESCO proclamó el 23 de abril como el Día Mundial del Libro y del Derecho de Autor.

# Mayo ▶ PRIMERA SEMANA

## EL PALO DE MAYO
Nicaragua

Es una de las fiestas más importantes del caribe nicaragüense, sobre todo de la ciudad de Bluefields. Es una fiesta de culto al árbol y a la fecundidad. Cientos de bailarines danzan alrededor de un tronco plantado en el suelo, adornado con cintas de colores vistosos y con dulces, que representa un árbol y sus frutos. Mientras bailan, trenzan las cintas al árbol. El **Palo de Mayo** se celebra también en otras localidades del Caribe de Panamá, de Venezuela y de Colombia.

# Junio ▶ DÍA 24

## INTI RAYMI
Perú

El 24 de junio se celebra en la ciudad de Cuzco la fiesta de **Inti Raymi**, que marca el solsticio de invierno. Es una fiesta heredada de los incas y de su adoración al sol. Tiene lugar en la fortaleza de Sacsayhuamán (a dos kilómetros de Cuzco) y representa la ceremonia tal y como se habría desarrollado en el pasado, pero ahora ante miles de turistas.

## Julio ▸ DIAS 6 A 14

### LOS SANFERMINES
Pamplona, España

En España, en la ciudad de Pamplona, el 7 de julio, día de San Fermín, se celebran los **Sanfermines**, fiestas que duran una semana y que son famosas en todo el mundo por los encierros de toros. Los pamploneses corren por las calles seguidos de una manada de toros, con gran peligro de caídas o heridas, hasta llegar a la plaza donde encierran a los toros. Más tarde, tienen lugar las corridas.

## Agosto ▸ PRIMERA SEMANA

### FERIA DE LAS FLORES
Medellín, Colombia

El origen de la **Feria de las flores de Medellín** es que los campesinos bajaban de las montañas todas las variedades de flores de la región para venderlas o para adornar los altares de las iglesias. La feria, que dura varios días, consiste en exposiciones de flores, cabalgatas, música y desfiles de jinetes (silleteros) que llevan las sillas de montar con enormes adornos florales.

## Septiembre ▸ DÍA 15

### FIESTA DE LA INDEPENDENCIA
Hispanoamérica

El 15 de septiembre de 1821, las llamadas "provincias de Centroamérica" se proclamaron independientes de la Corona Española. Por esta razón, en el mes de septiembre México, Guatemala, Nicaragua, Costa Rica, Honduras y El Salvador celebran su **fiesta de la Independencia**. El día 18 de septiembre también la celebra Chile, aunque la independencia se declaró en este país años más tarde, en 1828.

# Octubre ▶ DÍA 12

## 12 DE OCTUBRE
Hispanoamérica y España

Según los historiadores, el **12 de octubre** del año 1492 Colón llegó a las tierras de América. Este día se celebra en toda Hispanoamérica. Es una fiesta muy controvertida: para unos se celebra el orgullo de pertenecer a una cultura marginada durante años; para otros, no es motivo de celebración, ya que la conquista estuvo marcada por el racismo y por el genocidio. En más de un país americano se ha propuesto cambiar el nombre por el de "día de la resistencia india".

# Noviembre ▶ DÍA 1

## NOCHE DE MUERTOS
Michoacán, México

En Michoacán (en el oeste de México), el día de Todos los santos (1 de noviembre), las mujeres y los niños de la isla acuden al cementerio, a media noche, encienden velas y colocan ofrendas de flores y de comida sobre la tumba de sus familiares y seres queridos. Los hombres no entran en el cementerio, se limitan a observar la fiesta desde lejos. La **Noche de muertos** se celebra en todo México.

# Diciembre ▶ DÍAS 24 Y 25

## NAVIDAD
Hispanoamérica y España

Las fiestas de **Navidad** tienen gran importancia en todos los países hispanos. Los elementos característicos comunes son la Misa y la cena de Navidad que se celebran la noche del 24 al 25 de diciembre, los villancicos (canciones de Navidad), y los belenes, portales o pesebres (representaciones en miniatura del nacimiento de Jesús que se hacen en las casas y en las iglesias).